Höher als die Kirche

Wilhelmine von Hillern

Höher als die Kirche

von

Wilhelmine von Hillern

EDITED WITH INTRODUCTION, NOTES, EXERCISES,
AND VOCABULARY

BY

ELEONORE C. NIPPERT, M.A.
*Assistant Professor of German,
University of Cincinnati*

NEW YORK
F. S. CROFTS & CO.
1939

COPYRIGHT 1928, BY F. S. CROFTS & CO., INC.

All Rights Reserved
No part of the material covered by this copyright
may be reproduced in any form without permission
in writing from the publisher.

MANUFACTURED IN THE UNITED STATES OF AMERICA

PREFACE

THE present edition of a story which has not been edited for many years, but which is still popular for second-year work, offers a simple German Introduction, which can be read by an average second-year student. The vocabulary of the Introduction limits itself as far as possible to the vocabulary of the story; however, all new words used in the former are incorporated in the Vocabulary of this edition. The notes are chiefly in English, but German is used whenever practical. The exercises (Übungen) are almost entirely in German and include a general grammar review. At the head of each exercise is a brief illustrative summary of the grammatical points treated therein. A logical order of development is observed in these exercises. They start with an easy review of the nouns and, as the reading progresses, lead up to the more difficult constructions, such as the subjunctive and conditional modes, the indirect discourse, and the passive voice. The latter exercises are based chiefly upon the last chapter of the story.

The German Fragen should always be answered by complete German sentences. The aim of this method is to make it possible for the teacher and the student to use the German language almost exclusively in the classroom, and thus give the student an opportunity to think and express himself in German and to develop a Sprachgefühl.

The editor wishes to express her sincere gratitude to Professor Edwin H. Zeydel of the University of Cincinnati for his critical review of the notes and his many helpful suggestions, to Professor James Taft Hatfield of Northwestern University for the valuable material he supplied, and to Frau von Hillern-Flinsch for the charming picture of her mother, the author of the story.

ELEONORE C. NIPPERT

THE UNIVERSITY OF CINCINNATI

Verzeichnis der Bilder

Wilhelmine von Hillern — *Frontispiece*

Breisgau und das Münster — *Facing page* 8

Der Altar — " " 40

Einleitung

Wilhelmine von Hillern, die Verfasserin von „Höher als die Kirche," wurde am 11. März 1836 in München geboren. Sie war das einzige Kind des Schriftstellers Dr. Christian Birch, bekannt durch seine Geschichte „Ludwig Phillip." Seine Frau war die berühmte Schauspielerin und dramatische Schriftstellerin Charlotte Birch-Pfeiffer. Wilhelmine verbrachte eine sorglose, glückliche Jugend im elterlichen Hause, wo sie unter der Führung vortrefflicher Lehrer eine sorgfältige Erziehung erhielt. Unter den vielen Freunden, die in dem gastfreundlichen Hause ein- und ausgingen, waren viele geistreiche Menschen, Künstler, Musiker, Schriftsteller, Schauspieler und Schauspielerinnen, die auf das junge Mädchen einen tiefen Eindruck machten. Felix Dahn, der später berühmte Schriftsteller, gewährt uns einen Blick in die frühe Jugend der Schriftstellerin. Er schreibt ungefähr das folgende in seinen „Erinnerungen" aus seiner Universitätszeit:

Eine wahre zweite Heimat wurde für mich das Haus meiner guten, lieben, treuen Mutter Birch. Diese ausgezeichnete Frau nahm mich nun auf, wie eine Mutter. Sie ließ mich gleich, als ich zuerst gar schüchtern bei ihr um elf Uhr morgens ankam, vor abends neun Uhr nicht mehr fort. Ich mußte gleich zu Mittag, zu Kaffee, zum Abendessen bleiben. Und wie unzählige Male hat sich das wiederholt. Außerdem sollte ich jede Woche noch einen Abend bei ihr verbringen.

Sie hatte ein einziges Kind, eine Tochter, zwei Jahre jünger als ich. Bald schoß unter uns beiden eine gar heiße Freundschaft

empor. Das junge Ding von kaum siebzehn Jahren war nicht
schön zu nennen. Aber sie hatte in ihrem bleichen Gesicht ein Paar
prachtvolle, große, dunkle, seelenvolle Augen. Sie war ebenso be=
geistert als hochbegabt für alles, was Schönheit, was phantastisch
5 war: Drama, Lyrik, Epik, besonders aber liebte und verfolgte sie
das Drama. Wir lasen beide recht gut und gern; und wenn wir
allein waren, wurden wir nie müde zu deklamieren und uns zu
hören. So lasen wir denn mit „verteilten Rollen," das heißt, sie
alle Weiblein und ich alle Männlein, manchen Sonntag nachmittag
10 von drei Uhr bis nachts elf Uhr. Außer den Werken von Schiller,
Goethe, Lessing und Shakespeare, lasen wir auch Byron oder
Percys Reliques, das Englische lasen wir englisch. Öfters gab es
auch Streit zwischen dem ungestümen Mädchen und dem „Dichter"=
Studenten, manchmal so heftig, daß die alte Nanni, die Köchin,
15 ganz ängstlich aus der Küche gelaufen kam. Die nicht grade sehr
friedselige Minna ist jetzt die weitberühmte Frau Wilhelmine von
Hillern geworden, deren Romane und Schauspiele in vielen Sprachen
übersetzt und in vielen Zeitschriften von Europa und Amerika er=
scheinen.

20 Wilhelmine war ein hochbegabtes Kind, jedoch von zarter Ge=
sundheit. Darum war ihre einsichtsvolle Mutter besorgt, sie so
viel wie möglich von allen Aufregungen fern zu halten. Erst als
Wilhelmine zwölf Jahre alt war, wurde ihr erlaubt, das Theater
zu besuchen, obgleich ihre Mutter eine der hervorragendsten Schau=
25 spielerinnen jener Zeit war. Dieser erste Besuch war nicht ohne
Wirkung auf das zarte Gemüt. Sie war so bezaubert von dem
Schauspiel, daß sie beschloß, sich der Bühne zu widmen. Jetzt
lenkte sie all ihr Streben auf die Erfüllung ihres Wunsches, und
schon im Jahre 1853 erschien sie zum ersten Male auf der Bühne
30 im Hoftheater zu Koburg. Sie übernahm die Rolle von Shake=
speares Juliette, und ihre Vorstellung war mit hohem Erfolg ge=

krönt. Sie erschien an vielen der besten Theater Deutschlands, und überall wurde sie gern gesehen.

Jedoch ihre erfolgreiche theatralische Laufbahn nahm schon im Jahre 1857 ein Ende, als sie den badischen Kammerherrn und Hofgerichtsdirektor von Hillern in Freiburg heiratete. In Freiburg wurde Frau von Hillern mit den hervorragendsten Vertretern der Freiburger Universität bekannt. Durch den regen Verkehr mit ihnen wurden ihre literarischen Kenntnisse und ihr dichterisches Talent so erweitert, daß sie sich jetzt mit großer Begeisterung dem Schriftstellertum widmete. Ihr erster Roman, „Doppelleben," erschien im Jahre 1865 und fand viele Liebhaber. Ihre Stellung als junge Schriftstellerin war gesichert. Auch ihre späteren Werke wurden weit und breit mit großem Interesse gelesen. Außer drei kleinen Bühnenstücken, „Guten Abend," „Der Autographensammler," „Die Augen der Liebe," schrieb sie eine Reihe von Romanen: „Ein Arzt der Seele," „Ein Sklave der Freiheit" und „Sie kommt doch," eine Erzählung aus einem Alpenkloster des dreizehnten Jahrhunderts. Ihr Roman, „Die Geyer Wally," war so beliebt, daß er dramatisiert wurde und als Drama großen Beifall fand.

Im Jahre 1882, nach dem Tode ihres Gatten, zog die Schriftstellerin nach Oberammergau, wo sie den Passionsroman „Am Kreuz" schrieb.

Vielleicht eine der beliebtesten Erzählungen von Wilhelmine von Hillern ist die kleine Novelle „Höher als die Kirche." Während ihres Aufenthaltes in Freiburg machte sie sich mit den historischen Tatsachen von Freiburg und Umgebung bekannt. Sie interessierte sich besonders für das altertümliche Breisgau, welches nur wenige Meilen von Freiburg entfernt liegt. Sein altes Münster, seine engen, winkeligen Straßen und giebelspitzigen Häuser, seine einfachen ehrlichen Bürger hatten einen besonderen Reiz für sie. Dies alles, und noch dazu ihre große Vaterlandsliebe, und die stürmischen Kriegstage von 1871, die ihr geliebtes Breisgau und Freiburg bedrohten, gaben der Schriftstellerin die Anregung zu der Geschichte „Höher als die Kirche."

In der Einleitung gibt sie ihrem Vaterlandsgefühl vollen Ausdruck. In der Geschichte selbst, die mit dem Kapitel „Das Messer" anfängt, bietet sie uns ein Bild des Kampfes zwischen dem engherzigen, finsteren Sinn des Mittelalters und der erleuchteten, vorgeschrittenen Denkart des Humanismus. Wir erkennen in Rat Ruppacher, mit seinem unerbittlichen Stolz und höhnischen Wesen, den hartnäckigen Widerstand und die ungerechten Vorurteile des Mittelalters gegen alles, was nicht mit dem alten Brauch und der alten Ordnung übereinstimmte. Hans Liefrink jedoch ist der Vertreter der Humanisten, die in die Welt das Ideal des Schönen und des Erhabenen brachten und die das Volk aus dem Nebel und Dunkel des Mittelalters herausführen wollten. Wie die Humanisten nach langen, schweren Kämpfen siegten, so siegte auch Hans Liefrink in seinem unermüdlichen Streben nach dem Höchsten.

Höhere Ziele als leichte, angenehme Unterhaltungslektüre zu schaffen, setzte sich Wilhelmine von Hillern nur selten, aber ihre Erzählungen mit ihrem Stoffreichtum und ihren effektvollen Spannungen, fanden einen großen Leserkreis, und sie war eine der beliebtesten Schriftstellerinnen ihrer Zeit. Ihr tätiges Leben kam zu Ende in Hohenaschau, Oberbayern, wo sie am 25. Dezember 1916 starb.

Höher als die Kirche

Höher als die Kirche

Gewiß sind schon viele meiner freundlichen Leser auf einer Reise in die Schweiz durch das liebliche Breisgau geflogen und haben mit Wohlgefallen die weichen Linien unseres Kaiserstuhls und die in blauen Duft gehüllten Vogesen verfolgt, die ja nun „wieder unser" sind. Sie haben es auch sicher nicht ohne Teilnahme gehört, als die Schrecken des Krieges sich bis an die Ausläufer des Schwarzwaldes wälzten und von dem kleinen stillen Städtchen Altbreisach jenseits des Kaiserstuhls aus der erbitterte Kampf um Neubreisach entbrannte. Es interessiert daher meine freundlichen Leser vielleicht, eine harmlose Sage aus Breisachs Vergangenheit zu hören, welche sich als poetische Arabeske um das alte Städtchen am Oberrhein schlingt.

Sie kam mir, nachdem ich sie längst vergessen, wieder in den Sinn, als ich in einer kalten Winternacht auf der Höhe unseres Schloßberges stand und dem Bombardement des Fort Mortier lauschte. Es war eine rauhe, unheimliche Nacht. Der Sturm rüttelte mit wahrer Wut an dem Gipfel des Berges und schien uns die Mäntel vom Leibe reißen zu wollen; auch der letzte Neugierige hatte sich verloren, niemand war mehr weit und breit um mich her, als das Mädchen, welches ich zur Begleitung mitgenommen, und mein treuer Beschützer, ein großer Hund, der jeden neuen Windstoß und jedes Rascheln im Laube anknurrte und anbellte. Ein anderer Hund tief unten am Fuße des Berges wurde von seiner gellenden

Stimme aufgeschreckt und antwortete mit einem kläglichen Geheul, das gar unheimlich durch die Stille drang.

„Wenn ein Hund heult, stirbt jemand," bemerkte meine Begleiterin fröstelnd.

„Da drüben werden auch wohl genug Menschen sterben," sagte ich und schaute hinüber über das weite nächtige Tal, wo hinter dem Kaiserstuhl eine rote Lohe auf und nieder schwankte — der Brand von Neubreisach. Schwere Schneewolken verdunkelten den Mond, und die Röte hob sich um so greller von dem schwarzen Hintergrund ab. In regelmäßigen Intervallen stiegen die Bomben wie Leuchtkugeln am Horizont auf und zogen mit Gedankenschnelle im weiten Bogen ihre Bahn herüber, hinüber, und wenn sie einschlugen in den Feuerherd, so wallte die sich senkende Glut neu auf, und schwer und langsam folgte dem Aufblitzen der Geschütze jener wunderbare Donner, den nie vergißt, wer ihn einmal gehört — jene majestätischen Hammerschläge, mit denen der große „Schmied von Sedan" ein altes Reich zerschlug und ein neues zusammenschmiedete. Und auch die von drüben blieben keine Antwort schuldig; und herüber und hinüber dröhnten die wuchtigen Schläge, unerbittlich Menschenwerk und Menschenleben zermalmend, und der Brand Neubreisachs leuchtete als Schmiedefeuer zu der furchtbaren Arbeit.

Tief unten zu unseren Füßen lag wie im bangen Traume die Stadt Freiburg mit ihren zerstreuten, matt schimmernden Lichtern. Die Fenster aber waren dunkel, die Stadt hatte die Augen geschlossen; und wie eine schwarze Schwanenmutter, die ihre Küchlein um sich geschart, so ruhte das gewaltige Münster mit seinem schlanken Turm inmitten der niederen Häuser des Marktes, die sich wie Küchlein in der Dunkelheit unter seine Fittiche zu verkriechen schienen. Es schlug zwölf von dem zu uns aufragenden Turm, und

Höher als die Kirche

größere und kleinere Uhren nah und ferne trugen die Botschaft
weiter, daß wieder ein banger Tag der schweren Zeit um und ein
vielleicht noch bangerer beginne. Totenstille lagerte über der
schlummernden Stadt, während hinter unsern Bergen so nahe das
Verderben wütete. Nur das Tod verkündende Geheul des Ketten=
hundes drang fortwährend zu uns herauf, und der brausende Sturm
sang mit dem Kanonendonner zusammen ein düsteres, gewaltiges
Lied von Kampf und Not.

„Wenn sie nur das Münster nicht zusammenschießen," sagte meine
Begleiterin, „heute abend hieß es, die Franzosen zielten auf das
Münster."

Das Münster — das ehrwürdige Breisacher Münster mit seinen
gotischen Türmchen, seinen frommen Sagen, seinen silbernen und
goldenen Monstranzen von unvergleichlicher Arbeit, einem Meister=
werk der Holzschneidekunst, wie es wenige gibt!

Und versunken plötzlich wie mit einem Zauberschlag war die
finstere Winternacht mit ihrem Schlachtenlärm vor meinem innern
Auge, und ich stand in Breisach auf dem Münsterplatz und schaute
von der stattlichen Anhöhe aus, weit hinein in die lachende grüne
Rheinebene, hinüber nach Frankreich, dem damals noch ruhigen
Nachbar, der schon in so manchem Kampfe dies Ruhekissen des
heiligen römischen Reichs, wie Breisach vor Zeiten hieß, bedroht
hatte. Da lag es wieder vor mir in seiner stolzen Ruhe, das alters=
graue Gebäude, und über ihm wölbte sich ein sonniger blauer
Himmel. Zu Füßen des Berges, auf dem das Städtchen bis zum
Münster malerisch ansteigt, floß breit und majestätisch der grüne
deutsche Rhein hin, und wenn ich mich über die niedere Einfriedi=
gungsmauer bog, konnte ich von oben herab in die kleinen engen
Straßen mit ihrem harmlosen Treiben blicken, wie in eine von

Kindern erbaute Stadt. Mein Fuß schritt weiter auf dem weichen
grünen Rasenplatz rings um das Münster. Ein paar verspätete
alte Mütterchen keuchten mit Gesangbüchern und Rosenkränzen den
Berg herauf, und aus der geöffneten Kirchtür drang Weihrauch=
geruch und mischte sich mit dem Duft der blühenden Fliederbüsche.
Das Meßglöcklein ertönte, die Maikäfer summten, und einige kleinbürgerlich geputzte Kinder tummelten sich im Grase, noch unbe=
kümmert um ihr Seelenheil, für das die Mutter drinnen in der
Kirche betete. Selbst der „Münstersimpel," der den Fremden
immer die Mütze hinstreckt, hatte heute seinen besten Rock an, denn
es war Sonntag, und ein Sonntag im wahren Sinne des Wortes.
Durch die offenen Bogen des Kreuzganges schimmerten die grünen
Wogen des Stromes so hell, daß man kaum den Blick darauf heften
konnte, und die französische Schildwache drüben über der Schiff=
brücke, welche noch freundnachbarlich Alt= und Neubreisach verband,
hielt sich, geblendet von dem Sonnenbrand, die Hand vor die Augen.

Ich flüchtete mich in den Schatten hinter der Kirche, um den
Gottesdienst abzuwarten; da war es so still und so kühl und so
friedlich, es gemahnte mich an das schöne Wort Eckhardts: „Hinter
der Kirche blühe die blaue Blume der Zufriedenheit." Jetzt kündete
drinnen das geheimnisvolle Schellen der Monstranz das hohe
Wunder der Wandlung an, jetzt sanken die Gläubigen lautlos, ver-
hüllten Angesichts in die Knie vor dem leibhaftig gewordenen Gott
— ein zweites Schellen — ein drittes — jetzt war der Gott an
ihnen vorbeigeschritten, und sie konnten sich erheben, neu gestärkt
und belebt — gestreift von dem göttlichen Leib! Ich schaute zu
einem der hohen Fenster hinein. Ein voller Sonnenstrahl fiel auf
den herrlichen holzgeschnitzten Hochaltar, wo Gott, Vater und
Sohn, mächtigen Schwunges in Haltung, Bart und Gewändern,

die allerseligste Jungfrau zur Himmelskönigin krönen, umgeben von
einem Chor jubilierender Engelscharen. Mit Gedankenfluß und
Gedankenbiegsamkeit schien sich hier der ungefüge Stoff des harten
Holzes unter der Hand des Meisters gestaltet zu haben. In solcher
Hand mußte ein Zauber wohnen, der alles bezwingende Zauber des
schöpferischen Genius!

Und als die Messe zu Ende war und die Andächtigen wieder den
steilen Berg in der Sommerhitze hinunterstiegen, da trat ich ein in
das kühle steinerne Haus, das noch von bläulichen wohlriechenden
Wolken durchzogen war. Hoch über meinem Haupte bog sich unter
der Wölbung der Kirche zierlich die Spitze des Altars, wie eine zu
hoch aufgeschossene Blumenranke, die sich der Decke des Gewächs=
hauses beugen muß. Ich liebe solchen Schwung, der weit über die
ihm gesteckten Grenzen hinausreicht, sich ihnen aber doch zu rechter
Zeit zu fügen weiß. Und auf meine Fragen nach dem Schöpfer
dieses herrlichen Werkes erzählte mir der Mesner die harmlose
Künstlersage, die sich an seine Entstehung knüpft. Ich erzähle sie
treulich wieder, und sollte meine Phantasie mit etwas lebhafteren
Farben malen als die Tradition, so möge es verziehen sein, da ich
keinerlei Bürgschaft für die Wahrheit meiner Geschichte übernommen
habe!

1. Das Messer

Es war im Jahre des Heils 1511, als zwei stattliche Männer=
gestalten über den Rasen des stillen Münsterplatzes dahinschritten.
Der eine, etwas ältere, mit feingebogener Nase, vollem graublondem
Bart und langen Locken, die reich unter dem roten Sammetbarett
niederfielen, schritt so majestätisch einher, daß man es auf den ersten
Blick sah, er war kein gewöhnlicher Christenmensch, sondern einer,

6 Höher als die Kirche

auf dessen breiten Schultern eine unsichtbare Weltkugel ruhte. Schön, groß und edel, wie man sich die höchsten der Menschheit denkt, ein Kaiser — ein deutscher Kaiser — vom Scheitel bis zur Zehe; zugleich ein Dichter und ein Held im wahren Sinne des
5 Wortes, Anastasius Grüns letzter Ritter — Maximilian I.

Hier in „seiner Stadt" Breisach, wie er sie nannte, ruhte der Kaiser gerne aus von den Händeln, welche ihn und mit ihm die Welt bewegten, hier in dieser tiefen Ruhe und Stille arbeitete er an seinem „Weißkunig," hier schrieb er die zärtlichen Briefe an seine
10 Tochter Margareta in den Niederlanden. Das jetzt so vergessene, unbeachtete Städtchen am Oberrhein, es war das „Sanssouci" Kaisers Maximilian. Aber zur Zeit des Jahres 1511 lagerten sich auch um dies „Ohnesorge" drohende Wolken, die des Kaisers Stirn beschatteten und einen Sturm ankündeten, der ihn weit mit
15 sich fortreißen sollte, fort für immer von dem stillen Fleck Erde, den er so geliebt. Schon glimmten da und dort im eigenen Reiche unter der Asche die Flammen des Bauernkrieges auf, und draußen regte es sich wieder feindlich in dem tückischen Völker-Vulkan — der Verlust Mailands drohte, und der alte Drache, der Türk, tauchte in
20 weiter Ferne wieder auf — es war fast zu viel selbst für einen Kaiser. So ging er stolzen aber schweren Schrittes an der Umfriedigungsmauer des Münsterplatzes hin, und sein Auge hing trübe an der heiteren Landschaft zu seinen Füßen; die unsichtbare Weltkugel drückte heute mehr denn je auf seinen Schultern.

25 Plötzlich blieb er stehen: „Was sind das für Kinder?" fragte er den ihm folgenden Herrn, den edlen Ritter Marx Treitzsauerwein, seinen Geheimschreiber, und deutete auf eine Gruppe von zwei Kindern, die mit großem Eifer in einer Nische der Mauer einen jungen Rosenstock pflanzten.

Es waren Kinder so schön, wie sie nur die Phantasie eines Künstlers ersinnen kann. Ein Mädchen und ein Knabe, ersteres etwa acht, letzterer zwölf Jahre alt. Die Kleinen waren so in ihre Arbeit vertieft, daß sie den Kaiser nicht kommen hörten; erst als er dicht vor ihnen stand, fuhren sie in die Höhe, und der Bub stieß das Mädchen an und sagte ganz laut: „Du, das ist der Kaiser."

„Was macht ihr denn da?" fragte Maximilian, und sein Künstlerauge weidete sich an dem reizenden Pärchen.

„Wir setzen dem lieben Gott einen Rosenstock," sagte der Junge unerschrocken.

„Glaubt ihr, daß sich der liebe Gott sehr daran freuen wird?"

Der Junge zuckte die Achseln. „Je nun, wir haben nichts Besseres."

Der Kaiser lachte. „Da wird er schon mit dem guten Willen vorlieb nehmen! Wie heißest du denn?"

„Hans Liefrink."

„Und die Kleine, ist sie deine Schwester?"

„Nein, das ist Ruppachers Marie, mein Nachbarskind. — Pfui, Maili, tu' die Schürze aus dem Mund!"

„Ah so — da habt ihr euch wohl sehr gern?"

„Ja, wenn ich einmal groß bin und ein Messer habe, dann heirat' ich sie."

Der Kaiser machte große Augen. „Braucht man denn zum Heiraten ein Messer?"

„Ja freilich," antwortete der Knabe ernsthaft, „wenn ich kein Messer habe, kann ich nicht schneiden, und wenn ich nicht schneiden kann, verdiene ich kein Geld — und die Mutter hat gesagt, ohne Geld könne man nicht heiraten, und ich müsse viel Geld haben, wenn ich die Marie wolle, weil sie eine Ratstochter ist."

„Aber," fragte der Kaiser weiter, „was willst du denn schneiden?"
„Holz!"

„Aha, ich verstehe, du willst Holzschneider werden. Nun erinnere ich mich auch, daß ich zwei junge Bursche deines Namens einmal bei Dürer in Nürnberg sah — sind das Verwandte von dir?"

„Ja, Geschwisterkind."

„Da übten eure Väter diese Kunst?"

„Ja — und ich hab', als ich klein war, zugesehen und nun will ich's auch lernen, aber der Vater und der Ohm sind tot, und die Mutter kauft mir kein Messer."

Der Kaiser griff in die Tasche und zog ein Messer mit kunstreichem Griff und vielen Klingen heraus. „Tut's das?"

Dem Buben stieg vor freudigem Schreck eine heiße Röte ins Gesicht, man sah's durch das grobe zerrissene Hemdchen, wie ihm das Herz schlug.

„Ja, freilich," stammelte er, „das tät's schon."

„Nun, da nimm's und sei fleißig damit," sagte der Kaiser.

Der Bube nahm das Kleinod so behutsam aus des Kaisers Hand, als sei's glühend heiß und könne ihm die Finger verbrennen.

„Ich dank' vielmals!" war alles, was er herausbrachte, aber in den dunkeln Augen des Knaben loderte ein helles Freudenfeuer auf und überschüttete den Kaiser wie mit einem Funkenregen von Liebe und Dankbarkeit.

„Willst du nicht zu deinen Vettern nach Nürnberg gehen und ihnen helfen, Platten schneiden? Da gibt's viel Arbeit."

„Nach Nürnberg zum Dürer möcht' ich schon, aber Platten will ich nicht machen. Ich mag die Holzschnitte nicht leiden, die sind so flach, daß man mit der Hand darüber hinwischen kann, und so ineinander drin, daß man nicht weiß, was nah und was fern ist,

Breisgau und das Münster

und daß man sich die Hälfte dazu denken muß. Da schneide ich viel lieber Figuren, das sieht viel natürlicher aus, und man kann's greifen!"

„Man kann's greifen!" wiederholte der Kaiser lächelnd, „der echte Plastiker! Du wirst ein ganzer Kerl, Hans Liefrink. Du hast recht, halte dich an das, was natürlich ist und was man greifen kann — dann wird dir's nicht fehlen!"

Er zog ein ledernes Beutelchen aus dem Sammetkollett und gab es dem Jungen. „Paß' auf, Hans. Die Goldgulden da drinnen heb auf; gib sie niemand, auch deiner Mutter nicht, sag', der Kaiser hätte befohlen, daß du sie nur zu deiner Ausbildung verwendest. Lerne tüchtig, und wenn du groß bist und reisen kannst, dann geh nach Nürnberg zum Dürer, bring' ihm einen Gruß von mir und sag' ihm, wie sein Kaiser ihm einst die Leiter gehalten, so solle er nun dir die Leiter halten, damit du recht hoch hinaufsteigen könnest. Versprichst du mir das alles in die Hand hinein?"

„Ja, Herr Kaiser!" rief Hans begeistert und schlug ein in die kaiserliche Rechte und schüttelte sie herzhaft in seiner großen Freude.

„Herr Kaiser," platzte er heraus, „wenn ich einmal den lieben Gott schneide, dann mache ich ihn so wie Ihr — gerade so wie Ihr muß er aussehen."

„Gehab' dich wohl," lachte der Kaiser und stieg mit seinem Begleiter den Berg hinab.

Der Knabe stand da, als habe er geträumt; Maili hatte trotz des Verbots einstweilen ein Loch in die Schürze gelutscht und hielt den nassen Zipfel wie versteinert in der Hand. Jetzt lief es einer Magd entgegen, die das Kind zankend zu suchen kam, und flüsterte ihr zu: „Denk', der Kaiser war da und hat dem Hans ein Messer geschenkt und viele Goldgulden." Die Magd wollt's nicht glauben,

aber als sie das Messer sah — anrühren durfte sie's nicht — da
mußte sie's wohl glauben, und sie rief den ganzen Berg hinunter
die Leute zusammen, und alle wollten das Messer sehen und den
Inhalt des Beutels, aber den zeigte der kluge Junge niemandem.

Andern Tags reiste der Kaiser ab, und die Geschichte mit Hans
Liefrink war noch viele Wochen das Stadtgespräch von Breisach:
„Freilich war es kein Wunder, der Hans Liefrink war immer ein
frecher Bube gewesen und hatte das Maul vornen dran — wie sollte
er sich nicht auch beim Kaiser anzuschwätzen verstanden haben!"

2. Unter dem Kaiserbaum

Jahre verstrichen seitdem. Hans Liefrink verlor seine Mutter,
Maili die ihre, und fester und fester schlossen sich die verwaisten
Kinder aneinander an. Abends am Feierabend, wenn der Vater
im Wirtshaus auf der Honoratiorenbank kannegießerte und die
Haushälterin mit den Frau Basen an der Tür schnatterte, da
stiegen die Kinder über den Zaun, der die Gärten hinter dem
Hause trennte, und setzten sich zusammen, und Hans schnitzte dem
Maili schöne Spielsachen und Figürchen, wie sie kein Kind in ganz
Breisach hatte, und erzählte ihr von allem, was er wußte von den
schönen Bildern und Schnitzwerken, die er in Freiburg im Münster
gesehen, und von den großen Meistern seiner Kunst, Baldung Grün
in Freiburg und Martin Schön in Kolmar; denn er ging jetzt oft
da und dort hin, wo es was zu sehen und zu lernen gab, und lernte
unermüdlich.

Stundenlang saßen sie so beieinander und erzählten sich, was sie
wußten. Wenn es sich aber tun ließ, so liefen sie hinauf zum
Münster und gossen ihren Rosenstock, den Hans zur Erinnerung

den Kaiserbaum getauft. Dort weilten sie am liebsten, denn sie meinten immer, der Kaiser müsse doch einmal wiederkommen und dort oben so vor ihnen stehen, wie das erstemal. Und oft riefen sie laut hinaus: „Herr Kaiser, Herr Kaiser, komm wieder!"

Aber die kindlichen Stimmen verhallten ungehört in der weiten, weiten Welt, wo sich der Ersehnte im lauten Schlachtgetümmel umtat. Die Kinder warteten vergebens, der Kaiser kam nicht wieder!

So wuchsen die Kleinen heran, und der „Kaiserbaum" wuchs mit ihnen, und als hätten die zarten Fäden unbewußter Liebe in ihren Herzen sich mit den Wurzeln des Bäumchens in eins verschlungen und verwoben, so zog es auch die Erwachsenen immer wieder zu dem Rosenstock in der Mauernische, hier fanden sie sich Tag für Tag. Das Bäumchen war wie ein treuer Freund, der ihre beiden Hände in der seinen vereinte und festhielt. Aber der treue Freund war leider nicht stark genug, um auch äußerlich zusammenzuhalten, was die Menschen trennen wollten.

Die schöne stattliche Jungfrau Ruppacherin, die hochangesehene Ratsherrntochter, durfte nicht mehr freundnachbarlich mit dem armen Bildschnitzer verkehren; der Vater verbot es ihr eines Tages auf das strengste, denn Hans Liefrink war nicht nur arm — er war auch nicht einmal ein Breisacher Bürgerskind. Seine Familie waren Niederländer und in Breisach eingewandert. Ein Fremder, ein armer Fremder noch dazu, war zu jenen Zeiten eine Art Paria, er konnte nicht eingefügt werden in das eingerostete enge Geleise alt= herkömmlichen Brauches. Nun aber trieb der Hans auch noch nicht einmal ein ordentliches Handwerk, ein Künstler wollte er werden — das war damals so viel wie ein Beutelschneider, ein Herumtreiber, ein Hexenmeister, der ehrliche Leute durch Zauber=

tränkchen und Sprüche verführt. Und der Hans war auch just so
eine Art Mensch, dem man derlei Hokuspokus zutrauen konnte.
Den Mädels tat er es an, wo er vorüberging, daß sie stehen blieben
und ihm nachschauen mußten; Locken hatte er wie von kastanien=
brauner Seide, und seine dunkeln Augen hatten auch so etwas
Eigenes, was kein Mensch sagen konnte; sie taten förmlich jeden in
Bann, mit dem er sprach. Was er trieb und schaffte, das wußte
auch kein Mensch. Das kleine Haus, in dem er wohnte, hatte er
sich gekauft, und nach seiner Mutter Tod bewohnte er's ganz allein,
und keiner ging bei ihm ein noch aus, als der berühmte und daher
auch berüchtigte Bildhauer Jakob Schmidt, der eines Tages im
Streit einen Breisacher erschlug und flüchten mußte. Man sagte
sogar, Hans habe ihm noch zur Flucht verholfen. Seitdem war er
vollends im Verschrei, und sein stolzer Nachbar Ruppacher, dem der
treue Spielkamerad seiner Tochter längst ein Dorn im Auge war,
ließ sogar zwischen seinem und Hansens Garten eine hohe Mauer
aufführen, so daß sich die jungen Leute gar nicht mehr als beim
„Kaiserbaum" treffen konnten und auch dies nur selten, wenn es
eben recht still und leer da oben war. Aber gerade dies Hindernis
schwellte den ruhig hinfließenden Strom unbewußter Gefühle in den
jungen Herzen erst an, daß er ihnen über die Lippen floß. Eines
Abends, als Maili lange nicht zum Rosenbäumchen gekommen war,
sang Hans unter ihrem Fenster, das nach dem Garten ging, sein
erstes Liebeslied:

    Am Rosendorn, am Rosendorn
    Da blieb mein Herze hangen,
    Und wenn du kommst zum Rosenbaum,
    Kannst du's herunterlangen.

    Viel Früchte trägt der Früchtebaum,
    Die mög'n dir wohl behagen,

Unter dem Kaiserbaum

Doch solche Frucht, das glaube mir,
Hat noch kein Baum getragen.

Süß Liebchen, komm' und pflück' sie ab,
Laß nicht zu lang sie hängen,
Sonst muß sie, ach! im Sonnenbrand
Verwelken und versengen.

Und sie kam auch richtig am andern Tag und holte das Herz herunter und legte es an das ihre und schwur in seligem Erröten, es nimmer lassen zu wollen. Und es war ein Augenblick der Wonne, daß Hans laut ausrief: „Ach, wenn jetzt der Kaiser käme!" als gönne er sich diese Stunde nicht allein, und als könne sie nur ein Kaiser mit ihm teilen. Der Kaiser kam aber wieder nicht, und Hans schnitt mit dem heiligen Messer, das er aus des Gesalbten Hand empfing, die Buchstaben M. und H. in die Rinde des Rosenstocks und eine kleine Kaiserkrone darüber. Das sollte heißen: Maria, Hans und Kaiser Maximilian.

Der Herbst verging und der Winter kam, und da sie sich nun immer seltener sahen, sang Hans immer öfter das Lied vom Rosendorn und noch manches andere, bis es eines Tages der Ruppacher merkte und dem Mädchen mit Fluch und Verstoßung drohte, wenn sie von dem Lump nicht ließe.

So standen denn eines Abends die jungen Leute zum letztenmal unter dem Rosenstock, den sie vor acht Jahren gepflanzt. Er, ein zwanzigjähriger schöner Jüngling, sie, eine Knospe von sechzehn Sommern. Es war ein lauer Februartag, wie sie im Süden häufig sind. Der Schnee war geschmolzen, und ein leiser Luftzug schüttelte die noch braunen dornigen Äste des Rosenstocks. Das Mädchen stand gesenkten Hauptes vor dem Jüngling, sie hatte ihm alles erzählt, was sie hatte hören müssen, und schwieg jetzt. Ihre

Hand ruhte in der seinen, und große Tropfen rannen ihr über die Wangen herab.

„Maili," sagte der Jüngling mit tiefem Schmerz, „am Ende glaubst du auch noch, daß ich solch ein schlechter Mensch bin?"

Da schlug sie voll die blauen Madonnenaugen zu ihm auf, ein schönes Lächeln glitt über ihr sanftes Mädchengesicht. „Nein, Hans, nie und nimmer. Mich soll keiner irre an dir machen. Sie kennen dich alle nicht, ich aber kenne dich, du hast mich erzogen und mich gelehrt, was die andern nicht wissen, was schön und groß ist. Du hast mich zu dem gemacht, was ich bin, wie deine kunstreiche Hand aus einem Stück Holz ein Menschenbild gestaltet," und sie nahm seine kräftige schwielige Hand und drückte sie leise an ihre weichen warmen Lippen. Er ließ es geschehen, denn die Leute wußten damals noch nichts von der Liebesetikette unserer Tage, und sie faltete ihre zarten Finger über den seinen und sprach weiter: „Ich glaub' an dich immerdar, denn du verherrlichst Gott mit deiner Kunst, und wer das tut in Wort oder Bild, der kann nicht schlecht sein!"

„Und willst mir treu bleiben, Maili, bis ich mich und meine Kunst zu Ehren gebracht und als ein angesehener Mann kommen kann, um dich zu freien?"

„Ja, Hans, ich will den Fuß nicht aus meines Vaters Hause setzen als zu dir — oder ins Kloster. Und wenn ich sterbe, ehe du kommst, dann will ich hier begraben sein, hier unter dem Kaiserbaum, wo wir so glücklich waren. Und gelt, dann kommst du und rastest hier aus von deiner Müh' und Arbeit, und jedes Rosenblatt, das auf dich niederfällt, soll dich gemahnen, als sei's ein Kuß von mir!"

Und sie sank in Tränen an des Jünglings Brust, und die beiden jungen bedrängten Herzen schlugen aneinander in ihrem Abschieds=

schmerz heiß und innig, und in dem Marke des Rosenbaumes regte sich's quellend wie Frühlingsahnung und Frühlingskeimen.

„Weine nicht, Maili," sagte Hans endlich, sich aufraffend. „Es wird noch alles gut werden. Ich gehe zum Dürer, wie's der Kaiser befohlen hat, und lerne vollends bei ihm aus, und wenn ich dann was Rechtes kann, dann suche ich mir den Kaiser auf, wo er auch sei, trage ihm mein Anliegen vor und bitte ihn um seine Fürsprach bei deinem Vater."

„Ach ja, der Kaiser," rief Maili, „ach wenn der doch endlich wiederkäme, der würde uns helfen!"

„Er kommt gewiß wieder, mein Lieb," meinte Hans zuversichtlich, „wir wollen recht beten, daß der liebe Gott ihn zu uns oder mich zu ihm führt."

Und sie knieten beide in dem feuchten kalten Wintergras nieder, und es war ihnen, als müsse Gott ein Wunder tun und den Kaiserbaum vor ihren Augen in den Kaiser selbst verwandeln.

Da — was war das? Da schlug die große Glocke des Münsters an — langsam, feierlich, tieftraurig.

Die Liebenden schauten auf. „Was ist das — brennt es — kommen Feinde?" Ihnen ahnte ein schweres Unglück.

Jetzt stiegen Leute den Berg herauf, die nach der Kirche wollten. Hans eilte ihnen entgegen, um zu hören, was es gab, indes Maili sich im Kreuzgang verbarg.

„Wo steckt Ihr denn, daß Ihr nichts wißt," schrieen die Leute, „auf dem Markte ist es ja verlesen worden, der Kaiser ist tot!"

Der Kaiser ist tot!

Da stand der arme Hans wie vom Donner gerührt, alle seine Hoffnungen waren mit einem Schlage zertrümmert. Und als es wieder still und leer war auf dem Platz, setzte er sich auf die

Bank, lehnte die Stirn in ausbrechendem Schmerz an das schlanke Stämmchen des Rosenbaumes und schluchzte laut: „O mein Kaiser, mein lieber guter Kaiser, warum bist du mir gestorben!" Da legte sich leise eine Hand auf seine Schulter, Maili stand neben ihm. Es dunkelte, und nur vom Wasserspiegel des Rheins herauf schimmerte noch ein matter Wiederschein der letzten Lichtstrahlen. Es hatte ausgeläutet, die eherne Totenklage war verklungen, und es war so still und ausgestorben ringsum in der Natur, als könne es nie wieder Frühling werden.

„O Maili," klagte Hans hoffnungslos, „der Kaiser kommt nicht wieder!"

„Aber Gott ist da, und der verläßt uns nicht!" sagte Maili, und ihre blauen Augen schimmerten durch die Dämmerung wie ein Paar vom Himmel verbannte Sterne, die sich wieder in ihre Heimat zurücksehnten.

Und als Hans sie so anschaute, wie sie so vor ihm stand mit über der Brust gekreuzten Armen in ihrer jungfräulichen Reine und Demut, da leuchtete eine hohe Freude in seinem Antlitz auf, und er faltete begeistert die Hände.

„Maria!" flüsterte er. „Ja, Gott verläßt uns nicht, er zeigt mir seine Himmelskönigin in diesem Augenblick, und wenn ich es vollbringe, das zu schaffen, was ich jetzt vor mir sehe — dann bin ich ein Künstler, der keines Kaisers Hilfe mehr braucht."

Am andern Morgen mit Tagesgrauen trat Hans reisefertig, ein Ränzel auf dem Rücken und auf der Brust das lederne Beutelchen mit dem letzten Rest von Kaiser Maximilians Goldgulden, aus seiner Tür, schloß das kleine Haus ab, steckte den Schlüssel in die Tasche und schritt langsam von dannen. Laut und deutlich erschallte seine volle weiche Stimme noch einmal:

„Am Rosendorn, am Rosendorn
Da bleibt mein Herze hangen."

Leise öffnete sich in Ruppachers Haus eines der niederen Fensterchen mit den runden, in Blei gefaßten Scheiben, und ein weißes Tüchlein wehte durch die Dämmerung einen stummen Abschiedsgruß. Da war es, als ob die Stimme sich bräche in Tränen, und es tönte nur noch zitternd und unsicher herüber:

„Viel Früchte trägt der Früchtebaum,
Die mög'n dir wohl behagen,
Doch solche Frucht, das glaube mir —"

Jetzt verstummte das Lied, die Bewegung hatte den Scheidenden übermannt, und nur noch seine festen Tritte und das Klirren des Wanderstabes schallten die Straße herauf.

3. Kein Prophet im Vaterland

Jahr um Jahr verging, Hans Liefrink war verschollen. Man dachte seiner nur noch, wenn man an dem verschlossenen Häuschen mit den erblindeten Fenstern vorüberging, von dem man nicht wußte, wer nun zunächst ein Recht darauf habe.

Nur eine dachte seiner für und für und hoffte und harrte in bräutlicher Sehnsucht. Kein Bitten, kein Drohen und Schelten des Vaters vermochte die Maria Ruppacherin einem ihrer vielen Bewerber Gehör zu schenken. Nie verließ sie das Haus, als um in die Kirche zu gehen, und allabendlich nach dem Abendsegen begoß sie den Kaiserbaum, daß er stattlich heranwachse und des Treuliebsten Herz erfreue, wenn er wiederkäme. Es war ja das einzige, was mit ihm in Zusammenhang stand, er hatte es mit ihr gepflanzt, es mit ihr geliebt, — sie pflegte das Bäumchen mit doppelter Sorgfalt, wie eine Mutter dem fernen Gatten das Kind pflegt, das er ihr zurückließ, damit er's recht groß und stark finde bei der Heimkehr. Und das Bäumchen wuchs und gedieh. Schon war es so hoch wie die Nische, in der es stand, und wollte darüber hinausragen, aber sie bog es in die Nische hinein und band es an der Mauer fest, so daß sich sein blühender Wipfel unter die Wölbung beugen mußte.

Dies stille Tun war ihre einzige Freude, ihre einzige Erholung. In Arbeit und Gebet gingen ihre Tage hin, und ihre frischen Wangen begannen zu bleichen, ihr Vater sah es ohne Mitleid, wie sein schönes Kind immer stiller ward und trauriger, und wie sie langsam verfiel. Es war ein Glück für sie, daß die beginnenden Reformationskämpfe, die auch Breisach bedrohten, Ruppachers Zeit im hohen Rat immer mehr in Anspruch nahmen und ihn nicht dazu kommen ließen, sein Vorhaben auszuführen und Maria mit Gewalt zu verheiraten.

Die Stürme um Breisach zogen heran, die Bauern des Kaiserstuhls standen in Waffen auf für die neue Lehre, und immer mehr Anhang strömte ihnen zu. Die Stadt zitterte für ihren alten Glauben, und während sie sich nach außen befestigte und in Verteidigungszustand setzte, riet ihr Erzherzog Ferdinand, der Enkel Kaiser Maximilians, auch nach innen alles zu tun, was den alten Glauben stärken und befestigen könne. Mit frommem Opfermut tat jeder das Seine; Stiftungen und Schenkungen wurden gemacht zu Erhöhung des Ansehens der Geistlichen, zur Vermehrung und Verbesserung der kirchlichen Ämter und endlich zur Verherrlichung der idealen Gestalten des katholischen Glaubens durch Bild und Bildwerk in der Kirche selbst. Längst fehlte es an einem würdigen Hochaltar, gerade in einer Zeit wie diese mußte solch einem Mangel abgeholfen werden, und man beschloß, ein Werk herstellen zu lassen, welches die ganze himmlische Glorie den wankenden Gemütern sichtbar vor Augen führe.

Eine Ausschreibung erging an die deutschen Künstler, sie sollten Zeichnungen und Vorschläge für das Werk einsenden, und dem, der die besten einsandte, sollte die Ausführung übertragen werden. Von alledem hörte Maria nicht viel, denn sie ging nicht mehr unter die Leute, die sie schon kopfschüttelnd die Himmelsbraut nannten. Sie lebte einsam in ihrem kleinen Erkerstübchen, und immer trüber ward der Blick, mit dem sie zu dem hölzernen Christus aufblickte, den ihr Hans einst geschnitzt. Es ging nun ins fünfte Jahr, daß Hans nichts mehr hatte hören lassen. Freilich konnte und durfte er ihr ja nicht schreiben, und Freunde hatte er in Breisach keine. Aber solche Ungewißheit zehrt am Leben; Maria war müde nicht des vergeblichen Wartens, aber von dem vergeblichen Warten — todesmüde.

Eines Abends setzte sie sich denn hin und begann ihren letzten Willen niederzuschreiben. Ihr Vater war in einer Ratssitzung, so war sie allein und unbelauscht.

„Wenn ich gestorben bin," schrieb sie, „so bitte ich, daß man mich begrabe oben am Münster unter dem Rosenbaum, den ich als Kind dem lieben Gott geweiht. Sollte Hans Liefrink jemals wiederkehren, so bitte ich —"

„Und wenn du kommst zum Rosenbaum,
Kannst du's herunterlangen —"

erscholl es plötzlich leise, ganz leise unter ihrem Fenster.

Schneller fällt kein Stern vom Himmel, schneller springt keine Knospe auf, als das Mädchen bei diesem Ruf ans Fenster sprang und mit zitternder Stimme den Endreim wiederholte.

„Süß Liebchen, komm' und pflück' sie ab,"

antwortete es wieder von drüben über die Mauer — und das Pergament mit dem begonnenen Testament, Stift und Schreibschwärze, alles flog in die Truhe, das Mädchen aber wie ein aus dem Käfig erlöster Vogel den Berg hinan, ohne sich umzusehen, als könne das Glück, das ihr folgte, wenn sie sich umsah, verschwinden, und ein anderer als der Gehoffte hinter ihr stehen. Schneller, immer schneller werdende Tritte kamen ihr nach. Jetzt hielt sie klopfenden Herzens atemlos am Kaiserbaum an, und im selben Augenblick umschlangen sie zwei Arme, die Sinne schwanden ihr — es war ihr, als stiegen die Fluten des Rheins brausend den Berg hinan und ergössen sich über sie hin und spülten sie mit hinunter, und sie klammerte sich an den starken Halt in ihren Armen, um nicht hinabzusinken in die unermeßliche Tiefe. Weiter wußte sie nichts mehr, sie lag bewußtlos und bleich an des Geliebten Brust.

Zum Glück war niemand weit und breit um die Wege, und als Maili wieder zur Besinnung kam, saß Hans auf der Bank und hielt sie zärtlich auf seinen Knieen, rieb ihre Schläfe und Hände und hauchte ihr den warmen Odem seines Lebens und Liebens ein. Lange, lange hielten sie sich schweigend umfaßt, denn die echte, rechte Liebe spricht nicht, sie küßt zuerst.

„Mein treues Lieb," sagte Hans endlich, „du bist so bleich geworden, bist du krank?"

Sie schüttelte mit einem seligen Lächeln das Haupt: „Nein, jetzt nicht mehr, gewiß nicht mehr! Du bliebst aber auch gar zu lange aus! Hättest du nicht früher wiederkommen können?"

„Nein, mein Lieb, das konnt' ich nicht. Wäre ich gekommen als ein armer unberühmter Gesell, hätte mich da dein Vater nicht wieder mit Schimpf und Schande von seiner Schwelle gejagt?

Wir hätten uns nur wiedergesehen, um uns zum zweitenmal zu meiden. Schau, drum habe ich ausgehalten, so lange als meine Lehrzeit dauerte, bis ich mir sagen konnte: jetzt darfst du um die schöne vornehme Ruppacherin freien. Ich habe die Welt gesehen und mein Auge gebildet an all den Kunstschätzen der großen Städte, und dann bin ich beim Dürer gewesen, habe in seiner Werkstatt mitgearbeitet, und mein Name ist mit Ehren genannt unter Dürers Schülern."

„O Hans, glaubst du wirklich, daß das meinen Vater erweichen wird?" sagte Maria angstvoll.

„Ja, Maili, es kann mir nicht fehlen. Ich habe in Nürnberg gehört, daß der Magistrat endlich einen neuen Hochaltar für das Münster machen lassen will. Ich bin hierher geeilt, um mich um die Arbeit zu bewerben, und werde ich würdig befunden, solch ein Werk zu schaffen — was kann dann dein Vater noch gegen mich einzuwenden haben?"

Maili schüttelte immer noch ungläubig den Kopf, aber Hans war voll Hoffnung.

„Schau, das alte Kaiserbäumchen, wie es gewachsen ist," rief er bewundernd aus, „das hast du gut gepflegt! Ist es doch, als hätt' es all das frische rote Blut in sich gesogen, das aus deinen Wangen gewichen ist, mein Lieb, so purpurn sind die Rosen. Gib mir meines Liebchens Blut wieder, du Dieb," scherzte er froh, brach eine Handvoll Rosen und strich damit sanft über Mailis Wangen, als wollte er sie schminken, aber sie blieben weiß. „Das hilft nicht, aber vielleicht hilft das?" er küßte sie: „Hei, das ist eine bessere Schminke," lachte er und drückte das errötende Gesicht des Mädchens in überströmender Wonne an seine Brust. „Blüh' auf, mein Röslein, blüh' auf, der Frühling kommt!"

Eine halbe Stunde später trat schüchternen Schrittes der Rats=
diener in den Sitzungssaal des hochgegiebelten Breisacher Rathauses.

„Der hochweise Rat möge gnädigst verzeihen," bat er, „es ist
einer draußen, der dringend begehrt, vor den hochweisen Rat ge=
führt zu werden."

„Wer ist es denn?" fragte der Bürgermeister.

„Es ist der Hans Liefrink," sagte der Ratsdiener, „aber schön
angetan — ich hätte ihn beinahe nicht mehr erkannt."

Das war eine Überraschung! „Der Hans Liefrink, der Aus=
reißer, der Landstreicher, der bei Nacht und Nebel fortlief, Gott
weiß wohin, und sich jahrelang herumtrieb, Gott weiß wo? Was
will der?"

„Er will sich um die Arbeit für den Hochaltar bewerben und
seine Zeichnungen vorlegen."

„Was, mit solch einem Lump sollten wir uns einlassen, der nie
was anderes zustande gebracht hat, als was jeder Kübler kann?"
schrie Rat Ruppacher, und die übrigen hochweisen Herren stimmten
ihm bei.

„Er soll sich scheren, woher er kam!" war der endgültige Be=
scheid, „solch ein Werk vertraue man nicht jedem hergelaufenen
Stümper an, von dem kein Mensch je gehört, daß er was könne."

Der gutmütige Ratsdiener verließ betrübt mit dem rauhen Be=
scheid den Saal. Aber gleich darauf kam er wieder und brachte
unter tausend Bücklingen eine Mappe herein.

„Der Liefrink tut's nicht anders, die gestrengen und hochweisen
Herren möchten doch nur einmal seine Zeichnungen ansehen — und
wenn die Gestrengen nicht wüßten, was der Hans Liefrink könne,
dann möchten sie nur in Nürnberg bei Dürer nachfragen, der werde
es ihnen schon sagen."

„Wenn sich der Kerl nicht bald fortmacht," schrie Rat Ruppacher, „so lassen wir ihn vom Büttel fortbringen."

„Gemach, gemach, Meister Ruppacher," sprach der Bürgermeister, ein ruhiger Mann, der indessen die Mappe geöffnet hatte, „die Zeichnung dünkt mich doch so übel nicht. Das ist die Krönung der Mutter Gottes im Himmel. Sieh, sieh, recht sinnreich ausgedacht."

„Aber so etwas hinzeichnen ist leichter, als es ausführen," meinten andere. „Der Liefrink hat so was nie machen können."

„Er hat vielleicht Fortschritte gemacht," — bemerkte der Bürgermeister, „und tut's am Ende wohl billiger, als der berühmte Meister."

Diese Ansicht leuchtete vielen ein; aber es wäre doch unerhört gewesen, wenn man solch ein erhabenes Werk einem einfachen Breisacher Kind wie Hans Liefrink übertragen hätte, den jeder als dummen Jungen gekannt, den man so aufwachsen sah, ohne je etwas Besonderes an ihm wahrzunehmen, — ja, den man so über die Achseln angesehen und verachtet hatte! Nein, es war schon um des Ansehens der Sache willen nicht zu wagen! So wurde denn Hans Liefrink unwiderruflich abgewiesen.

Aber ein Gutes hatte der Vorfall doch gehabt, die Herren waren dadurch auf den Gedanken gebracht, um sicher zu sein, daß die Arbeit in die rechten Hände komme, dem Albrecht Dürer die bisher eingelaufenen Zeichnungen zu schicken und sein Gutachten darüber zu verlangen.

Maili weinte bitterlich, als sie hörte, wie schlecht es Hans auf dem Rathause ergangen; aber noch verzweifelte er nicht ganz, er hoffte auf Albrecht Dürer, und gleichzeitig mit dem Schreiben des Gemeinderates ging auch ein Brief Hans Liefrinks an seinen großen Freund und Lehrer ab.

Wochen verflossen den Liebenden abwechselnd in banger Spannung und süßem verstohlenem Glück, denn die politischen Kämpfe und Wirren des Jahres 1524 zogen die Aufmerksamkeit Ruppachers zu sehr von seiner Tochter ab. Sie sahen sich ungestörter als je, und Maria lebte und blühte rasch wieder auf in dem neu angebrochenen Liebesfrühling. Hans hatte sein verödetes Haus wieder bezogen und sich einstweilen eine Haustür geschnitzt, welche trotz aller Geringschätzung des heimischen Künstlers Aufsehen machte.

Dürers Antwort blieb lange aus, denn mit den Posten war es damals eine üble Sache, und die Leute mußten mehr Geduld üben als heutzutage, wo man, statt mit Monden und Wochen, mit Tagen und Stunden rechnet. Endlich nach vier Wochen kam sie. Aber wer beschreibt das Staunen des versammelten Rats, als das Schreiben keine andere, denn die so schnöde zurückgewiesene Zeichnung Hans Liefrinks enthielt, und Dürer schrieb: „er könne ihnen mit dem besten Willen nichts Schöneres empfehlen, als diesen Entwurf seines Freundes und Schülers Hans Liefrink, für dessen vollendete Ausführung er Bürgschaft leiste. Er begreife nicht, wie eine Stadt, die einen solchen Künstler in ihrer Mitte beherberge, sich noch an auswärtige Künstler wende. Hans Liefrink sei ein so ehr= und tugendsamer Jüngling und ein so großer Künstler, daß die Stadt Breisach stolz darauf sein könne, ihn den ihrigen zu nennen, und alles tun müsse, ihn zu fesseln, denn dem Liefrink stehe die Welt offen, und nur seine treue Anhänglichkeit an Breisach habe ihn bewogen, überhaupt wieder dorthin zurückzukehren."

Eine halbe Stunde nach Ankunft dieses Briefes zog eine für Breisach unerhörte Menschenmasse die enge Straße hinauf. Hans, der ruhig in seiner Werkstatt arbeitete, lief an das Fenster, um zu sehen, was es gäbe. Aber, o Wunder! der Zug hielt vor seinem

Hause an, und laut erschallte der messingene Klopfer im Rachen des geschnitzten Löwenkopfes an der Tür.

Hans trat heraus, und vor ihm stand eine Deputation des Gemeinderats in feierlichem Aufzug, gefolgt von der Einwohnerschaft aller Straßen, die vom Rathaus herführten.

„Was begehren die Herren von mir?" fragte Hans erstaunt.

„Hans Liefrink," begann der Sprecher der Deputation, „der hochweise Rat dieser Stadt tut Euch kund und zu wissen, daß er fast einstimmig beschlossen hat, Euer Ansuchen, betreffend die Anfertigung des Hochaltars für unser Münster, zu genehmigen, und zwar ohne Akkordsumme und mit der Anweisung, wenn Ihr Geld brauchet zum Anschaffen von Holz u. s. w., so möget Ihr es beim Ratsbuchhalter entnehmen."

Hans schlug die Hände zusammen vor Freude: „Ist es wahr, ist es möglich! Sagt mir, hochedle Herren, wem verdanke ich dieses Glück?"

„Der Rat sendet Euch dieses Schreiben Albrecht Dürers, welches wir Euch hier vor allem Volke vorlesen wollen," sagte der Wortführer und las laut den Brief Dürers vor. Hans hatte in seiner Freude nicht bemerkt, wie Nachbar Ruppacher ingrimmig seine Fensterladen zumachte, als beleidige das Lob des jungen Künstlers seine Ohren. Und nachdem ihn die Deputation verlassen und er allein war, zog er seinen besten Staat an, steckte einen Strauß vor und ging hinüber zum Nachbar Ruppacher, denn jetzt war der Augenblick da, wo er freien durfte.

4. Die Bedingung

Maili machte ihm die Tür auf, ein leiser Schrei freudigen Schrecks — ein rascher Kuß — und sie verschwand in ihr Zimmer, wo sie klopfenden Herzens vor ihrem Betschemel niedersank und die allerseligste Jungfrau um ihren Beistand anflehte. Hans trat unerschrocken bei Rat Ruppacher ein.

„Oho, was wollt Ihr?" rief Ruppacher mit flammenden Augen.

„Ich wollte mich zuvörderst bei Euch bedanken, Herr Rat, für das Betrauen, welches mir der hochweise Magistrat —"

„Braucht Euch bei mir nicht zu bedanken," unterbrach ihn Ruppacher verbissen, „ich habe Euch meine Stimme nicht gegeben."

„So?" sagte Hans betroffen, „das war nicht wohl getan, Herr Rat, was hattet Ihr gegen mich einzuwenden?"

„Was, das fragt Ihr noch? Habt Ihr nicht mit meiner Tochter geliebäugelt und dem Mädel das Herz berückt, daß es nun keines ehrsamen Mannes Eheweib mehr werden will, weil Ihr ihm fort und fort im Sinne steckt?"

„Herr Rat," sagte Hans ruhig weiter, „ich weiß einen ehrsamen Mann, dessen Eheweib sie werden will, und ich bin gekommen, um ihn Euch zu bringen."

„Nun, wer wäre denn das?"

„Ich, Herr Rat!"

Ruppacher lachte laut auf: „Du? Hat man so etwas schon erlebt? Der Betteljunge wagt es —"

„Herr Rat!" fuhr Hans auf, „ich war und bin kein Betteljunge. Ich war arm, aber der soll kommen, der mir nachsagen kann, er hätte dem Hans einen Heller geschenkt! Mein Vater hat uns ernährt mit seinem Plattenschneiden, und meine Mutter hat sich und mich nach seinem Tode redlich durchgebracht mit ihrer Hände Arbeit. Das einzige, was ich, solange ich lebe, geschenkt bekam, das war das Messer und der Geldbeutel von Kaiser Max, und das habe ich nicht erbettelt. Der Kaiser hat mir's gegeben, weil der große

Mann, dessen Auge mit Gottesblick in die Seelen der Menschen drang, in dem armen Knaben ein Streben erkannte. Es war kein faules Almosen, faul empfangen und faul verbraucht, — mit dem Messer hab' ich gearbeitet, und die goldenen Heckpfennige habe ich gespart und zusammengehalten, bis ich sie in dem besseren Kapital meiner künstlerischen Ausbildung anlegen konnte, und wahrlich, sie haben Zinsen getragen. Ich bin kein Bettler, Herr Rat, und dulde solchen Schimpf nicht."

„Nicht, du duldest ihn nicht?" sagte Ruppacher etwas gelassener, „nun, wo hast du denn deine Reichtümer? Zeig' sie mir, dann wollen wir weiter sprechen."

„Hier hab' ich sie, Herr Rat." Hans zeigte auf seinen Kopf und seine Hand.

„Willst du mich narren, Kerl?" schrie Ruppacher wütend.

„Nein, Herr Rat, ich will Euch damit nur sagen, daß ein denkender Kopf und eine fleißige Hand auch ein Reichtum ist, denn durch meinen Kopf und meine Hand entstehen die Werke, die mir Geld und Gut bringen — und glaubt es mir, darin steckt noch viel Geldeswert, der mit der Zeit zu Tage kommen wird."

„Und an solche Vorspiegelungen soll ich glauben, und meine Tochter einem Manne geben, der alle sieben Tauben auf dem Dache und keine in der Hand hat?"

„Herr Rat, für die nächsten zwei Jahre habe ich für mich und meine Frau reichlich zu leben, durch die Arbeit im Münster bin ich ein gemachter Mann —"

„Auf zwei Jahre, und dann?"

„Dann werden neue Bestellungen kommen —"

„So, also Ihr meint, die Welt wird nichts zu tun haben, als sich mit Euren Schnörkeln auszuputzen? Jetzt kommen schwere

Zeiten, wißt Ihr, da hat man für solchen Plunder kein Geld.
Wäret Ihr noch ein ehrbarer Schneider oder Schuster, Kleider und
Schuhe braucht jeder Mensch, aber wer solche brotlosen Künste
treibt wie Ihr, der kann in unsern Zeiten nur mit den Bären-
5 führen und den Schnurranten ziehen — und da könnte dann die
schöne Ratsherrntochter auf den Gassen die Laute dazu schlagen.
Ei, ja, das wäre so ein Spaß!"

Hans Liefrink bebte vor Empörung, aber noch nahm er sich zusammen um Mailis willen, und er entgegnete bescheiden: „Ihr
10 kennt mich nicht, Herr Rat. Ich war ein hochfahrender Bursch,
der immer mit dem Kopf durch die Wand wollte, dem ist aber
nicht mehr so. Ich habe mich in der Welt umgetan, und einsehen
gelernt, daß die Kunst nach Brot gehen muß, wenn der Künstler
nicht im Elend verkommen soll; ich habe auch das Handwerk
15 meiner Kunst treiben gelernt, um zu leben, und wenn es sein muß,
schnitze ich Wirtshausschilder und Hausgerät, denn das brauchen die
Menschen auch immer. Eure Tochter soll nicht hungern, selbst
wenn der reiche Vater sie enterbt, und sobald bessere Zeiten kommen, wo auch hier die Liebe zum Schönen und zu den Künsten des
20 Friedens neu erwacht, dann wird auch Hans Liefrink wieder ein
Künstler sein dürfen!"

„Ei, und dann ist er was Rechtes — nicht wahr? wenn er ein
Künstler ist!" höhnte Ruppacher; „was meinst du wohl, du Aff',
was ich unter einem Künstler verstehe? Tagediebe seid ihr, die zu
25 faul sind zum Arbeiten und zu dumm, um ein ordentliches Amt zu
verwalten. Kopfhänger oder Himmelgucker seid ihr, die in ihrem
müßigen Hirn nichts als Wahngespinste herumtragen und sie
andern in den Kopf setzen. Wer auf Brauch und Ordnung hält,
der merzt solch abenteuerliches, herrenloses Gesindel aus, — damit

es nicht mit seinen Gaukeleien auch andere verführe, die noch im Boden der Pflicht und Zucht wurzeln."

"Herr Gott, gib mir Geduld!" rief Hans Liefrink und bäumte sich auf in glühender Empörung. "Mann, Ihr seid mir heilig als der Vater Eurer Tochter, sonst würde ich die Schmach anders sühnen, die Ihr mir angetan. Herr mein Gott, unter welche Menschen soll ich mich beugen, mit welchen Vorurteilen kämpfen! Da draußen rings um mich her liegt eine ganze lachende, lockende Welt im ersten Sonnenglanz der erwachenden Idee des Schönen — alles, was denkt und fühlt, strömt jubelnd dem neuaufgehenden Gestirn zu; die Humanisten, die Künstler, alles vereint sich im fröhlichen Schaffen, und die Laien, geblendet von dem ungewohnten Licht, sinken ihnen zu Füßen und sagen ‚führet uns!' Ein Kaiser hat einem Albrecht Dürer die Leiter gehalten, auf der er malte — und ein Ratsherr von Breisach, dessen Staub einst die Winde verwehen, mißhandelt seinen Lieblingsschüler wie einen Schuft! Da draußen habe ich alle Ehren meines Berufes genossen, und hier in diesem dunkeln Winkel muß ich mich mit Füßen treten lassen, weil ich einen Strahl aus jener lichteren Welt herüberbringe, der Euren lichtscheuen Augen weh tut — weil ich ein Künstler bin!"

"So geh' doch, so geh' wieder in deine lichte Hölle, die du Welt nennst, du frecher Bube," donnerte Ruppacher ihn an. "Warum bist du nicht geblieben, wo du warst; warum hast du dich so tief herabgelassen, unsern dunkeln Winkel aufzusuchen?"

"Weil ich Eure Tochter liebe, Vater Ruppacher, so innig liebe, daß mir kein Opfer zu groß ist für sie!"

"Und du hast allen Ernstes geglaubt, du ‚opfermutiger' Herr, der Ruppacher werde so tief heruntersinken, daß er einem Künstler seine Tochter gäbe?"

„Ja, Vater Ruppacher, nach dem Ansehen, das der Künstler draußen genießt, konnte ich das denken."

„Ich kümmere mich nichts drum, wie's draußen ist, und wenn's dem Kaiser zehnmal beliebt, dem Dürer die Leiter zu halten — oder gar die Schuhe zu putzen — ich halte mich an das, was hierzulande Brauch ist, und ich sage dir, so wenig du einen Altar in das Münster hineinbringst, der höher ist als das Münster selbst, so wenig wirst du je ein Weib heimführen, das so viel höher steht als du, wie meine Tochter!"

„Herr Rat, ist das Euer letztes Wort?"

Ruppacher schlug eine höhnische Lache auf: „Schnitz' mir einen Altar, der höher ist als die Kirche, in der er steht — dann sollst du meine Tochter haben — eher nicht, so wahr Gott mir helfe!"

Ein herzzerreißender Schrei drang aus dem Nebengemach herein. Ruppacher ging hin und öffnete, Maili lag ohnmächtig hinter der Tür. Hans eilte herzu, aber Ruppacher hob den Arm gegen ihn auf:

„Scher' dich von hinnen, oder ich präge dir deine Schande ins Angesicht."

Einen Augenblick war es dem Jüngling, als zucke ihm das heilige Messer, das ihm ein Kaiser geschenkt, damit er Künstler werde, in der Tasche. Er kämpfte einen inneren Kampf, daß ihm die Schweißtropfen von der Stirne perlten, aber das Messer blieb in der Tasche, er hatte sich besiegt, neigte stumm das Haupt und ging. Glühend heiß brannte ihm die Sonne auf den Scheitel, als er heraustrat, ihm schwindelte, das Blut hämmerte ihm in den Schläfen, er mußte sich einen Augenblick an den Türpfosten lehnen, um nicht umzusinken. Dann eilte er fort, aber nicht in sein Haus, sondern zum Münster hinauf, zu seinem alten Freund, dem Kaiserbaum.

Die Bedingung

Es war ein göttlich schöner Mittag, schattenlos lag die Welt vor ihm, die senkrechten Sonnenstrahlen verbannten jede Dunkelheit. Glanz und Herrlichkeit strahlte von dem blaugewölbten Firmament nieder, strahlte wieder von dem grünen Erdreich, von dem rauschenden Strom. Wie ein Märchenschloß hob sich in der Ferne die stolze Burg Sponeck von dem goldenen Hintergrunde ab, und in starker Brandung, wie ein leidenschaftlich Liebender sich zu den Füßen der Geliebten stürzt, bespülte der Rhein den schroffen Felsen, der ihr zum sichern Fußgestell diente. Drüben am jenseitigen Ufer schäkerten Elsässer Kinder und suchten mit Steinen herüberzuwerfen. Es war munteres deutsches Blut, denn der Elsaß ahnte damals noch nicht, daß er einst aufhören könne, deutsch zu sein, und daß er drei Jahrhunderte später statt Steinchen Mordkugeln herüberwerfe, um es nicht wieder werden zu müssen! Sehnsüchtigen Blickes schaute Hans nach der Richtung Straßburgs zu, das damals ein Hort deutscher Kunst und Bildung war. Aber der Glanz des reinen Himmels tat ihm weh, die strahlend schöne Natur kam ihm heute vor wie eine teilnahmlose Freundin, die sich schmückt, während der Freund weint. Er setzte sich in die Nische unter den Rosenbaum, wo immer noch geheimnisvoll der segnende Schatten des toten Kaisers waltete, wo jede Rose unter seinen und Mailis Küssen erblüht war; dahin trieb es ihn immer wieder, da hatte er stets sein Heil gefunden.

Aber was konnte ihm jetzt noch für ein Heil kommen? Konnte der Baum sich mit seinen Wurzeln aus der Erde reißen und zum Ruppacher gehen, um für ihn zu bitten? Konnte der Kaiser, der bei Lebzeiten nicht wiederkam, nach dem Tode kommen, um ihm zu helfen? Und wenn auch der Baum sich aus der Erde höbe, und wenn auch der Kaiser aus dem Grabe stiege, und wenn auch Rup-

pachers Herz sich erweichte — was hälfe es ihm? Ruppacher selbst
könnte ihm seine Tochter nicht mehr geben, denn er hatte ja einen
Eid getan, daß er sie nur haben solle, wenn er einen Altar mache,
der höher sei als die Kirche, in der er stehe! Aber dies war ja un=
möglich, — und es hätte ein Wunder geschehen müssen, um ihm
zu helfen. Aber Wunder tat Gott nicht für ein so unbedeutendes
Menschenkind, wie er war.

Für ihn und Maili war keine Rettung, keine Hoffnung mehr!
Immer sah er das todesbleiche, geliebte Mädchen vor sich, das er
nicht mehr berühren durfte, und Schmerz, Verlangen und Wut
erpreßten dem sonst so starken Mann heiße unaufhaltsame Tränen.
Er begrub die schweißbedeckte Stirn in den Händen und schluchzte
wieder wie vor Jahren hilflos wie ein Kind: „O mein Kaiser,
mein Kaiser, warum bist du mir gestorben?" Aber diesmal war
Maili nicht da, um ihm zu sagen, daß Gott bei ihnen sei, und keine
Künstlervision richtete ihn wie damals mit stolzen Hoffnungen auf.
Alles blieb still um ihn her, nur die Rosenkäfer flogen summend
um die Rosen, und in den Lüften schrie ein Häher.

Da plötzlich gab ihm etwas einen derben Schlag in den Rücken.
Er fuhr zusammen, ihm war, als müsse der Kaiser hinter ihm
stehen, wenn er umblicke. Aber es war nicht die Geisterhand des
toten Kaisers, die ihn berührte; das Rosenbäumchen hatte sich end=
lich durch die eigne Kraft von der Rückwand der Nische losgerissen,
in die Maili es hineingebunden, und war im Emporschnellen an
Hans angeprallt.

Da stand es nun kerzengerade weit über die Wölbung hinaus=
ragend, und jetzt erst sah Hans, wie viel höher das Bäumchen schon
war, als die Nische, in der es gestanden. Aber wie ein Blitz schoß
jetzt dem armen Hans ein Gedanke durch den Kopf.

Ein kurzes Besinnen, ein Schrei des Jubels: „Herr, mein Gott, du bist groß auch im Kleinsten, und deine Wunder vollziehen sich noch!"

Was hatte ihn das Bäumchen gelehrt? Was war es, das ihn so plötzlich auf die Knie stürzen und den rauhen Stamm des Kaiserbaumes wie wahnsinnig vor Freude herzen und küssen ließ?

5. Erfüllt

Hans sah Maili nicht mehr, Vater Ruppacher begriff, daß er das Mädchen nicht mehr hüten könne, und brachte sie selbst in das Kloster Marienau, damit sie weder Wort noch Blick mit dem Geliebten wechseln könne. Aber die Klausur der jungen Gefangenen war doch nicht so streng, daß nicht hin und wieder ein Gruß, ein Lied und ein hoffnungerweckendes Wort Hans Liefrinks zu ihr gedrungen wäre.

Auch Hans lebte indessen wie ein Einsiedler in seiner Klause. Vom ersten Tagesgrauen bis in die Nacht hinein arbeitete er ohne Ruh' und Rast, und kein Bitten noch Schelten konnte ihn bewegen, sein Werk einem Unberufenen zu zeigen. Das stehe nicht in seinem Vertrag, entgegnete er auf jedes dahinzielende Verlangen, und so wuchs die Neugier der Breisacher aufs höchste.

Zwei lange Jahre waren vergangen, die ersten Reformationskämpfe, viel schwere Tage waren an Breisach vorübergezogen, Hans hatte sich durch nichts beirren lassen, unverdrossen hatte er weitergearbeitet, ohne nach rechts oder nach links zu schauen, und endlich im Sommer des Jahres 1526 erschien er auf dem Rathaus und erklärte das Werk als vollendet.

Nun war große Bewegung in Breisach. Das Münster wurde

auf drei Tage geschlossen, solange der Altar aufgestellt wurde.
Hunderte von Neugierigen umstanden Hans Liefrinks Haus und
die Kirche, um etwas von dem Werke zu erspähen. Aber fest verhüllt kamen die einzelnen Teile aus der Werkstatt, und die Spannung steigerte sich immer mehr.

Am vierten Tage war Mariä Himmelfahrt, und an diesem sollte
der Altar eingeweiht werden. Schon in aller Frühe wogte eine unabsehbare Menschenmenge den Berg herauf dem nun wieder geöffneten Gotteshaus zu. Frohlockend ertönte die große Glocke
weithin über den Rhein und die Ortschaften. In ganzen Zügen,
zu Fuß und zu Wagen, strömten die Landleute vom Kaiserstuhl
und vom Elsaß herüber, um das Wunderwerk zu sehen, von dem
schon seit zwei Jahren die Rede war.

Hans Liefrink war schon seit Tagesanbruch in der Kirche. Noch
einmal betrachtete er prüfenden Auges seine Arbeit, und als die
große Glocke über seinem Haupte anschlug, um die Gläubigen zu
rufen, da überflog ein leises Zittern seine hohe schlanke Gestalt, er
nahm das Käppchen ab und sprach mit gefalteten Händen: „Herr,
nun segne meinen Schweiß!"

Es war ein kurzes Gebet, aber wer jemals gearbeitet hat, jahrelang im Schweiße seines Angesichts, um seine ganze Zukunft, sein
ganzes Glück, der weiß, wie Hans Liefrink bei den wenigen Worten
zu Mute war, und unser Herrgott wußte es auch.

Nun strömte die Menge herein, und der schwere Augenblick war
da, wo der Künstler das Werk seiner einsamen Tage und Nächte
der Öffentlichkeit übergibt. Noch einen letzten Blick warf Hans
Liefrink auf seine Schöpfung, dann verschwand er und beobachtete
in banger Spannung den Eindruck, den sie auf das versammelte
Volk machte. Die Morgensonne warf ihre vollen Strahlen herein,

gerade auf den Altar, und ein Ausruf des Staunens, der Freude und Bewunderung schallte von dem hohen Gewölbe wieder.

Da stand sie den Leuten vor Augen, die ganze himmlische Glorie, sichtbar, greifbar in ureigenster Gestalt. Gott, Vater und Sohn, in ihrer Mitte Maria, die Arme über der Brust gekreuzt, das Haupt demütigst neigend unter der Krone, die Vater und Sohn über ihr emporhielten. Ein Sturm der Freude schien durch den ganzen Himmel zu wehen, wie im Sturme flatterten die Gewänder und Locken der Himmlischen; war das wirklich Holz, steifes hartes Holz, was da so beweglich schien? War es möglich, das Leblose lebendig zu machen? Regten sich diese Gestalten? Und diese Engelscharen, die im wilden Jubelchor Halleluja sangen! Und die Heiligen alle, jeder so ganz natürlich und so besonders in seiner Art. Alle Figuren in Lebensgröße, und das Ganze umwunden und gekrönt von dichten Ranken künstlichen Laubwerks, deren mittelste mächtig aufstrebend sich noch an der Wölbung des Chors hinzog. Das ungeübte Auge der einfachen Leute konnte es nicht auf einmal überblicken, all das Herrliche, was es da zu schauen gab. Solch ein Werk hatte noch keiner gesehen von allen, die da waren, und die harmlosen Seelen nahmen ihn mit kindlicher Ehrfurcht in sich auf, den nie geahnten Zauber der Kunst.

Das Hochamt begann; solch ein Amt war nicht gehalten, solange man denken konnte. Schauer der Andacht durchzogen die Kirche, von Angesicht zu Angesicht waren die Leute noch nie dem Himmlischen gegenübergestanden — wie mußte da gebetet werden! Und als die Schellen der Wandlung ertönten da wagte keiner aufzublicken — sie meinten alle, der Erlöser da oben müsse nun lebendig werden und hinaussteigen aus seinem Rahmen.

Als aber der Gottesdienst vorüber war, da drängte alles

unaufhaltsam heran, um den Meister zu sehen, der das Werk geschaffen.

Der Mesner wurde abgeschickt, um Hans Liefrink zu suchen.

Da trat er hinter dem Altar hervor, bescheiden und tiefbewegt, aber so schön und so voll unbewußten echten Stolzes, daß jedes Auge mit Entzücken an ihm hing. Der Bürgermeister, der einst das erste gute Wort im Rat für ihn gesprochen, trat ihm entgegen und schüttelte ihm glückwünschend die Hand; der ganze Rat folgte seinem Beispiel mit Ausnahme Ruppachers, der finster an einer Säule lehnte, weil er nicht durch das Gedränge hatte entkommen können. Seine Tochter hatte zu dieser feierlichen Gelegenheit die Klosterhut verlassen dürfen und stand hochaufgerichtet neben ihm, bleicher als je, aber mit einem selig verklärten Ausdruck in dem reizenden Gesicht.

„Findet Ihr nicht, daß die Ruppacherin der Mutter Gottes da oben ähnlich ist?" flüsterte einer dem andern zu.

„Ja, das ist wahr!"

„Und der Gott Vater dem Kaiser Max!" meinte ein alter Mann, „gerade so sah er aus!" Und wie ein Lauffeuer ging es durch die Reihen, der Liefrink habe die Marie Ruppacherin und den Kaiser Max abkonterfeit.

„Ja, lieben Freunde," sagte Hans ruhig und vernehmlich, „das tat ich, weil ich nichts Schöneres auf der Welt kenne als Kaiser Max und Jungfrau Ruppacherin. Gott hat die Menschen zu seinen Ebenbildern geschaffen, und der Künstler, der den Schöpfer darstellen soll, hat das Recht, sich an diejenigen zu halten, von denen er denkt, daß sie ihm am ähnlichsten sind."

„Gut gesagt!" hieß es von allen Seiten.

„Meister Liefrink, Ihr kommt noch in den Gemeinderat, das prophezeihe ich Euch!" sagte der Bürgermeister.

Jetzt näherte sich Hans kühnen Schrittes der Bank, wo Ruppacher sich vergeblich bemühte, seine Tochter mit sich fortzuziehen. „Halt, Meister Ruppacher!" rief er mit fester Stimme, „ich habe noch mit Euch zu reden, und Ihr müßt mich hören! Ihr stelltet mir vor zwei Jahren eine seltsame Bedingung, unter der allein Ihr mir Eure Tochter zum Weibe geben wolltet. Wißt Ihr's noch?"

Ruppacher schwieg verächtlich.

Hans fuhr fort: „Ihr verlangtet, was nicht möglich schien, ich sollte einen Altar schnitzen, der höher ist als die Kirche, in der er steht — und Ihr tatet einen heiligen Eid, daß ich dann Eure Tochter haben solle! Nun, Meister Ruppacher, blickt über Euch, der Altar ist hier genau einen Schuh höher als die Kirche, und doch steht er darinnen — ich habe nur die Spitze umgebogen."

Ruppacher schaute hinauf und erbleichte — daran hatte er nicht gedacht! Eine Bewegung des Beifalls ging durch die Kirche.

„Also, Herr Rat," sprach Hans ruhig weiter, „ich habe meine Bedingung erfüllt, nun erfüllt Ihr Euren Eid und gebt mir Eure Tochter zur Frau!"

Ruppacher war wie vom Schlag gerührt, ihm wurde unwohl, die Leute mußten ihn stützen, aber er war eine starke Natur und erholte sich schnell. Er war nicht der Mann, um mit Eiden zu spielen; Hans Liefrink hatte ihn beim Wort genommen, in einer Weise, die kein Mensch voraussehen konnte; das Wort mußte gehalten werden, und zwar mit Anstand und Würde. Ein Ratsherr durfte nicht vor allem Volke Ärgernis geben.

Eine lange Pause entstand, Hans wartete geduldig — endlich

brach sich Ruppacher durch die Menge Bahn und führte stolz dem jungen Manne seine Tochter zu. „Ein Ruppacher hat noch nie seinen Eid gebrochen. Da habt Ihr mein Kind, wie ich's gelobt," sagte er trocken.

„Maria, mein Weib," jubelte Hans, der Zitternden die Arme entgegenbreitend.

Wer beschreibt den Blick, mit dem Maili nach siebenjahrelangem Hoffen und Harren in die Arme des Bräutigams sank; er mußte sie halten, sonst wäre sie vor ihm auf die Knie gefallen. Lautlos hielten sie sich umschlungen. Erfüllung, die schöne Himmelstochter, stieg zu ihnen nieder, und droben lächelte die holzgeschnitzte Maria und der zum Gott erhobene Kaiser Max freundlich auf sie herab, und alle Anwesenden freuten sich mit.

Einige junge Bursche liefen hinaus, brachen in aller Eile Zweige vom Rosenbäumchen und flochten zwei Kränze für das Brautpaar. Unter lautem Beifall krönten sie den Meister und seine Braut. Aber demütig nahm Hans seinen Kranz ab und legte ihn auf den Altar nieder: „Gottes seien diese Rosen — er hat mich gerettet durch sie! Siehst du, Marie," flüsterte er und deutete empor nach der umgebogenen Spitze des Altars, „das hat mich das Kaiserbäumchen gelehrt! Euch aber, Herr Rat, mag es erkennen lehren, daß einer sich beugen kann und doch größer sein, als die, so ihn gebeugt!"

Drei Wochen später wurden Hans und Maili vor demselben Altar getraut.

Es war eine Hochzeit, wie Breisach keine prächtigere gesehen, die dankbare Stadt hatte Hans eine Summe für sein Werk ausbezahlt, die für die damalige Zeit ein kleines Vermögen war, und der Gemeinderat ließ es sich nicht nehmen, dem Künstler noch obenein die Hochzeit auszurichten.

Vater Ruppacher aber war gar nicht mehr so verdrießlich, wie man hätte denken sollen, denn er hatte nun doch Respekt vor den „brotlosen Künsten" seines Schwiegersohnes bekommen.

Dies ist die Geschichte des Mesners in Breisach, die mir mit ihrem Rosenduft und ihrer frommen Einfalt durch die Seele zog, als ich in finstrer Sturmnacht dem wilden Kampfe um unsere Grenzen lauschte. Noch in derselben Nacht verstummten die Geschütze. Als ich durch Ginster und Gestrüpp in der Dunkelheit den Schloßberg hinabkletterte, hörte ich sie schon nicht mehr. Am andern Morgen kam die Nachricht von Neubreisachs Übergabe. Das liebliche Altbreisach mit seinen historischen Erinnerungen und dem ehrwürdigen Münster war gerettet. Jetzt ist er beendet, der heiligste Krieg, der je gekämpft. Es sind wieder deutsche Kinder, die drüben vom Elsässer Ufer Steinchen über den Rhein werfen, wenn sie es auch selbst noch nicht wissen und fühlen, sie sind es doch! Und wir hier im Breisgau, die wir noch immer an der alten Kaisertradition gehangen und gleich den Helden dieser Erzählung so lange mit Sehnsucht auf einen Kaiser gewartet, wir brauchen nicht mehr wie jene zu klagen: „Der Kaiser kommt nicht wieder!" — wir jubeln heute aus vollem Herzen: „Der Kaiser ist wieder da!"

Der Altar

Anmerkungen

Seite 1

1–2. **find ... geflogen:** note the inverted word order. Auxiliary **fein** is used with an intransitive verb denoting motion, hence **find geflogen.**

2. **Breisgau:** a district in southwestern Germany. Prior to the year 1919 this region was called the Grand Duchy of Baden but at the present time it is the Free State of Baden. It includes part of the Black Forest (Schwarzwald), the wooded foothills of the Alps of Switzerland. The Rhine river bounds Breisgau on the south and west. **Gau** is the old term for district.

2–4. **haben ... verfolgt:** a transitive verb takes the auxiliary **haben.**

3. **Kaiserstuhl** or **Totenkopf** is the name of a short mountain range near Breisach and Freiburg, the capital of Breisgau. Upon the highest peak of this mountain range is a flat round place where Kaiser Rudolph of Hapsburg (1218–1291) often camped out and probably sometimes held court; hence the range was called Kaiserstuhl.

4. **Vogesen:** a mountain range lying partly in Alsace and partly in France proper, thus forming a boundary line between Germany and France. The Vogesen run parallel with the Black Forest range. Originally all of the Vogesen belonged to Germany but in the 16th and 17th centuries they were gradually acquired by France. However, at the close of the Franco-Prussian War (1871) they went again with the rest of Alsace to Germany, i.e. they were **wieder unser.** Alsace-Lorraine remained German property till 1919 when by the Treaty of Versailles the territory was given to France and the German boundary shifted back to the Rhine.

4. **ja:** *as you know.*

6. **des Krieges:** the Franco-Prussian War, 1870–1871.

7. **Altbreisach:** very small old town in Breisgau on east bank of the Rhine, west of Freiburg. It is located on a high hill and is already mentioned at the time of Julius Caesar as a fortification known as Mons Brisiacus. Later the location of the old fortress became so important that it was considered the key to Germany.

7. **aus:** adverb, belongs to the phrase **von dem kleinen ... Städtchen,** *out from the little city.*

Anmerkungen

8. **Neubreisach:** a more recent fortress two miles from Altbreisach, on the west side of the Rhine.

13. **mir:** dative of possession; mir in den Sinn = in meinen Sinn. Possessive adjective is replaced by definite article when modifying parts of body or clothing.

13. **vergessen** = vergessen hatte. The auxiliary is often omitted in the transposed word order.

15. **Schloßberges:** *Castle hill,* a high hill each side of which was formerly occupied by a castle. Now a park is built around the ruins of these old castles.

15. **Fort Mortier:** a fort near Neubreisach.

19. **um mich her,** *round about me.* her is an adverb modifying the preceding phrase.

19–20. **niemand ... als,** *nobody but.* als after a negative is translated by *but.*

20. **mitgenommen (hatte):** cf. note on **1,** 13.

Seite 2

3. **Wenn ein Hund bellt:** A superstition from old folk lore.

5. **Auch wohl genug Menschen,** *doubtless enough people.*

9. **um so greller,** *all the more sharply.* Um so = *all the more,* with the comparative degree.

12. **herüber, hinüber,** *to and fro:* her, adverb of direction emphasizing direction towards the speaker; hin, adverb of direction emphasizing direction away from the speaker.

15. **den** = welchen: relative pronoun, object of vergißt.

15. **wer,** *he who:* subject of gehört hat and the whole clause is the subject of the verb vergißt: *which he who has once heard it will never forget.* Present tense used in German where English uses future tense. Common German usage.

16. **Schmied von Sedan:** After Franco-Prussian War all the small German states composing Germany were welded into one mighty empire by William the First of Prussia. He was aided in this by the "Iron Chancelor Bismarck." In the battle of Sedan, Sept. 1, 1870, William I commanded the troops in person. The battle was so decisive that the German army was assured of victory and the French surrendered. France became a republic and Germany an empire. William was proclaimed Emperor of Germany January 18, 1871, in the palace of the French kings at Versailles near Paris. This was the same palace where the Germans signed the Treaty of Versailles in 1919, by which Germany

Anmerkungen

became a republic after the last great war. The decisive battle of Sedan in 1870 was celebrated in a song, „Der Schmied von Sedan" in which Emperor William I was called Der Schmied von Sedan.

17. ein altes Reich: the confederation of German states under Austrian rule which was ended by Prussia in 1866.

17. ein neues: the welding together of these same German states into a unified German Empire without Austria in 1871.

18. die ... drüben: die, demonstrative pronoun = jene drüben, *the French across the river.*

18. blieben ... schuldig = haben nicht gefehlt zu antworten, *did not fail to reply.*

23. Freiburg: the capital of Breisgau has a beautiful Gothic cathedral. The Münster, begun in 1222, was completed in 1513. One of the oldest universities of Germany, the Universität Freiburg is located there. It was founded by Archduke Albrecht VI in 1459. In 1923 the enrollment of the University was 3,000 students.

29. dem ... Turm: this participial construction which is quite frequent in German is best translated in the following order: find 1. the article; 2. the noun which belongs to the article; 3. adjectives modifying the noun; 4. the intervening participial phrase and its modifiers. Often such a participial construction is best expanded into a relative clause: von dem Turm, der zu uns aufragte.

Seite 3

2. Um: supply sei, the omitted auxiliary. Sei is subjunctive of indirect discourse.

3. beginne: also subjunctive of indirect discourse.

5. das ... Geheul: cf. note on **2**, 29; das Geheul des Kettenhundes, welches den Tod verkündete.

14. Monstranzen: richly ornamented vessels used in the Roman Catholic Church to hold the sacred host or sacred relics.

15. wie ... gibt, *as there are few.*

20. damals: *at that time.* Probably refers to a time before the Franco-Prussian War when the author was in France.

21. Ruhekissen, *pillow*. Because Breisach in the early times was one of the most important fortifications of the German Empire it was called Des Deutschen Reiches Kissen und Schlüssel, the pillow and key of the German Empire. Spoken of as Ruhekissen here because Emperor Maximilian (1459–1519) often withdrew to Altbreisach for rest and recreation.

21–22. des heiligen römischen Reiches: Holy Roman Empire began with the coronation of Charlemagne Christmas day 800 and was ended by Napoleon I in 1806 when he divided the various nations among leaders chosen by him.

29. eine... Stadt: cf. note on **2,** 29: construe eine Stadt, die von Kindern erbaut wurde.

Seite 4

6–7. kleinbürgerlich geputzte Kinder, *children dressed in countrified style.*

9. Selbst, *even:* when selbst precedes the noun or pronoun then selbst is construed as the adverb *even;* when, however, selbst follows the noun or pronoun, it is the emphatic form *self*. Selbst er: *even he.* Er selbst: *he himself.*

16. sich: dative of reference: construe seine Augen.

18. da, *there.* When da is followed by the inverted word order it is an adverb of place or time. However, when da is followed by the transposed word order, it is the subordinate conjunction *since.*

19. Eckhardt: often spoken of as Meister Eckhardt, was born in 1260. He was a Dominican monk who later became prior at Frankfurt am Main. He was especially known for his works on mysticism. He died in Cologne in 1327.

20. Blaue Blume: cf. Van Dyke's "Blue Flower."

21. Schellen: the author does not mean that the monstrance is ringing but rather the ringing of bells during the elevation of the monstrance and wine at the closing of the service. According to the Catholic belief transubstantiation takes place during this part of the service, i.e., through some mysterious force the bread and wine are actually changed into the flesh and blood of Jesus Christ.

21–22. Das hohe Wunder, *the great miracle of transubstantiation.*

22. Jetzt sanken... Knie: construe fielen auf die Knie.

29. mächtigen Schwunges: adverbial genitive of manner, *with mighty sublimity.*

Seite 5

5. mußte... wohnen = mußte gewohnt haben.

5. der... Zauber: construe der Zauber, welcher alles bezwingt. See note on **2,** 29.

12. der Decke: dative with sich beugen.

13–14. der weit... hinausreicht: cf. note on **2,** 29. Construe der weit über die Grenzen hinausreicht, die ihm gesteckt wurden.

16. Mesner: derived from Messe, *mass.* Formerly the word was

Anmerkungen

Meßdiener, one who serves during mass, hence Mesner. Now the word Mesner is used to mean "sexton."

18. sollte: *should*, past subjunctive introducing a conditional clause. Inverted order used because wenn, *if*, is omitted.

19. möge: optative subjunctive serving as the conclusion of the condition.

19. da: *since*, with the transposed word order.

26. es: not translated because it anticipates the clause Er ... Christenmensch.

27. sondern, *but*. Sondern is used after a negative in the preceding clause and excludes the preceding statement. Sie war nicht klein, sondern groß.

Seite 6

1. Weltkugel, *world sphere*. Emperors are often represented as holding in their hand a sphere (Reichsapfel), a symbol of their power.

2. die höchsten der Menschheit: construe die größten der Menschheit.

5. Anastasius Grün: pseudonym of Anton Alexander, Graf von Auersperg (1806–76), a famous Austrian writer and statesman, who in his poem Der letzte Ritter paid a tribute to the virtues of Maximilian I.

5. Maximilian: Maximilian I of the House of Hapsburg (1459–1519). He was German Emperor from 1493 to 1519. By his marriage with Maria of Burgundy he came into possession of Burgundy. In 1494 he married Bianca Sforza, daughter of the Duke of Milan and thus came into possession of valuable Italian possessions. He waged many wars against Charles VIII and Louis XII of France. Maximilian was a great patron of art and literature. With the aid of his private secretary, Marx Treitzsauerwein, he wrote in poetical form a biography of his father, Frederick III, and of himself. He called his book Der Weißkunig, representing himself as the white king in contrast to Louis XII, the blue king of France.

10. Margareta: Margaret of Austria, daughter of Maximilian I (1480–1530). She ruled the Netherlands from 1507 to 1530 for Charles, the minor grandson of Maximilian I.

11. Sans Souci: Ohne Sorge. A palace at Potsdam near Berlin built in 1745. It was the favorite country seat of Frederick the Great of Prussia, who died there.

15. sollte, *was to*.

17. der Asche: "Ashes" has no plural in German.

17. Bauernkrieges: Peasant War, 1524–25. This Peasant War was

Anmerkungen

preceded by numerous uprisings in which the peasants attempted to throw off the harsh yoke of the nobility.

17. **draußen:** the lands lying outside of German domain such as Milan and Turkey.

18. **regte es ... feindlich** = regten sich die Feinde.

19. **Mailand:** Maximilian had to cede Milan, a duchy in northern Italy, to France in 1515 after one of his numerous wars against France.

19. **der Türk:** the Turks had threatened Europe for centuries.

21. **stolzen aber schweren Schrittes:** adverbial genitive of manner. Construe *with proud but heavy step*. See note on **4,** 29.

24. **denn:** the old form for modern als after a comparative.

25. **Was ... Kinder:** Construe Welche Kinder sind das? Was für usually means *what kind of*.

26. **Marx Treitzsauerwein:** *See* note on **6,** 5.

Seite 7

1. **Es ... Kinder:** Es is merely the introductory subject: the verb agrees with the noun that follows. *They were children.*

1. **wie sie,** *such as;* the pronoun sie is here translated by English *as*.

4. **erst als,** *only when. Only* is erst when *only* refers to time; when, however, *only* refers to quantity it is nur. Erst zwölf Uhr. Nur drei Kinder.

5. **fuhren sie in die Höhe** = fuhren sie auf.

7. **denn:** omit; used in German to emphasize the statement.

11. **daran:** construe an dem Rosenstock.

12. **je nun:** exclamation, *well*.

14–15. **Da ... nehmen:** construe da muß er mit dem guten Willen zufrieden sein.

19. **Maili:** diminutive for Maria in South Germany. The diminutive is formed by adding –chen or –lein to the noun and the noun becomes neuter gender. The ending –li here is a corruption of –lein.

20. **wohl:** construe *I suppose*.

23. **denn:** cf. note on **7,** 7.

28. **könne, müsse, wollte:** are all subjunctives of indirect discourse with the clause die Mutter hat gesagt.

Seite 8

1. **denn:** cf. note on **7,** 7.

5. **Dürer in Nürnberg:** Albrecht Dürer, one of Germany's most famous artists, was born in Nürnberg in 1471 and died there in 1528.

Anmerkungen

To this day many of his etchings and steel engravings are shown at Nürnberg in the Dürer house, which is well preserved and open to tourists. Dürer was not only a painter of first rank but achieved the highest that has ever been accomplished in woodcuts and steel engravings. Some of the most famous of his paintings are the Madonnas in Berlin, Vienna and Florence, the Adoration of the Magi in Florence, Christ on the Cross in Dresden. He painted a very splendid portrait of Maximilian I, which is in Vienna. Among his best known woodcuts are the pictures representing the Passion of Christ.

5. Nürnberg: an old quaint city in northern Bavaria founded in the 12th century. Famous not only because of Dürer but also because Hans Sachs, the cobbler poet of the Meistersänger, lived there from 1494 to 1576. The little home and cobbler's shop can be seen to this day. Other prominent men of Nürnberg at that time were the stone carver Adam Kraft, the wood carver Veit Stoss and the brass founder Peter Vischer.

6. Geschwisterkind: old plural form; *cousins*.

16. das tät's schon, *that would surely do*.

19. als sei's = als ob es sei, unreal condition either present, past or past perfect; subjunctive may be used.

26. möcht' ich schon (gehen): construe *I should like to go all right*. After a modal auxiliary the verb of motion is often omitted.

28–29. so ineinander drin: so in einander darin, *so crowded into each other*.

Seite 9

5. ein ganzer Kerl, *quite a fellow*.

6. das, was: *that which*. After das, etwas, nichts, manches, alles, the interrogative pronoun was is used instead of the relative pronoun das or welches.

7. es wird dir nicht fehlen: es wird dir gelingen.

9. Goldgulden: Austrian gold coin: florin, about 48.2 cents. Coinage discontinued in 1892.

11. hätte befohlen: subjunctive of indirect discourse.

13. nach Nürnberg, *to Nürnberg*. With places far away "to" is translated by nach.

13. Zum Dürer, *to Dürer*. With persons "to" is translated zu.

14. Leiter gehalten (hat): refers to a story told about Kaiser Maximilian. It is said the Emperor once upon a time steadied the ladder of Dürer while the artist was decorating the Emperor's palace.

Anmerkungen

16. **in die Hand hinein:** construe mit einem Händedruck.

17. **Herr Kaiser:** It is considered good form in German to add professional or honorary titles to Herr, Frau or Fräulein. Also very often Herr, etc. are prefixed to names of members of the family, der Herr Vater, die Frau Mutter, das Fräulein Tochter.

20. **Ihr:** formerly the polite form for "you." Sie as the polite form did not come into usage till the 18th century. The time of our story is the early 16th century.

24. **als habe er geträumt** = als ob er geträumt habe. Inverted word order is used when ob is omitted, but the transposed word order is used when ob is expressed. Present perfect subjunctive is here used to indicate unreal condition.

26. **es:** neuter gender referring to neuter diminutive Maili.

26–27. **einer Magd entgegen:** entgegen is an adverb construed with the dative.

Seite 10

2. **wohl,** *indeed.*

2. **den Berg:** accusative of distance or direction.

2. **hinunter:** adverb of direction.

4. **den:** demonstrative pronoun *that* referring to Inhalt.

4. **niemandem:** either declinable or indeclinable.

5. **andern Tags:** old genitive of definite time. Modern usage requires either the accusative or the dative with am to express definite time.

6. **viele Wochen:** accusative of extent of time.

8. **vornen:** adverb derived from preposition vor. Several adverbs ending in –en are derived from prepositions ending in –r: hinter, *behind,* becomes hinten, *in the rear;* unter, *under,* becomes unten, *below;* drüber (da über), *over it,* becomes drüben, *beyond;* außer, *except,* becomes außen, *outside.*

8. **hatte das Maul vornen dran,** *had his mouth in front; had a bold tongue.*

8. **wie:** warum.

9. **beim Kaiser anzuschwätzen,** *to talk himself into favor with the Kaiser.*

12. **Abends:** genitive of repeated time or indefinite time.

13. **Honoratiorenbank:** In German taverns it is customary to reserve tables for regular guests, especially for guests of importance. Here they spend their evenings drinking beer and discussing the events of the day.

13. **kannegießerte,** *discussed the affairs of the state.*

Anmerkungen

14. **Frau Basen:** cf. note on **9,** 17.
17. **wie sie:** cf. note on **7,** 1.
18. **von allem, was:** cf. note on **9,** 6.
20. **gesehen (hatte):** auxiliary often omitted in transposed word order.
21. **Kolmar:** until 1919 Colmar was the capital of Upper Alsace. It is an old city with narrow winding streets. It is supposed to be the Columbarium of the Romans and was first mentioned in the Schenkungsurkunde of Louis the Pious of France in 823. In 1278 Colmar received city rights from Rudolph of Hapsburg. It became a model after which many other old cities were patterned. There is a beautiful cathedral in Colmar dating from the 13th century.
22. **da** = dahin.
22. **was** = etwas.
25. **es sich ... tun ließ** = wenn es möglich war.
26. **gossen** = begossen, *watered*.

Seite 11

1. **getauft (hatte):** auxiliary often omitted in transposed word order.
2. **müsse doch:** subjunctive of indirect discourse after meinten; the tense is present as in direct discourse, hence construe *he must come back indeed*.
3. **oben:** i.e., auf dem Münsterplatz.
6. **der Ersehnte:** participial noun from verb ersehnen.
10. **hätten:** cf. note on **9,** 24.
12. **es:** i.e., etwas, is impersonal subject.
12. **immer wieder,** *always again;* construe *kept drawing*.
13. **sich:** reflexive used in place of reciprocal einander, *each other*.
18. **Jungfrau Ruppacherin:** –in was formerly the feminine ending added to proper names. No longer used now.
20. **eines Tages:** genitive of indefinite time.
21. **aufs strengste:** absolute superlative adverbial form.
22. **auch nicht einmal,** *not even*.
22. **Breisacher:** adjectives from names of towns are formed by adding –er to the name. These adjectives are indeclinable and always capitalized, e.g. New York, New Yorker.
24. **noch dazu,** *in addition to that*.
24. **Paria:** a low and scorned caste of natives of India.
26–27. **auch noch nicht einmal:** construe *not even*.

Seite 12

3. **den Mädels**: a colloquial expression. The plural formed with -s is derived from Low German.

6. **Eigenes**: after etwas, nichts, the adjective noun is neuter.

6. **was**: cf. note on **9,** 6.

6-7. **taten förmlich jeden in Bann**, *actually held everyone in magic spell.*

7. **was**, *whatever*. The interrogative pronoun is used in place of a relative pronoun to introduce a subordinate clause which has no antecedent expressed or where the antecedent is indefinite.

10. **noch**, *or*, after the negative keiner.

10. **als**, *except* or *but*, after a negative.

13. **noch**, *even*.

17. **als**, *except* or *but*, after negative nicht mehr. See line 10.

21. **erst**, *all the more*.

23. **nach ... ging**, *overlooked*.

26. **Herze**: poetic license for Herz.

Seite 13

9. **nimmer ... wollen** = daß sie es (das Herz) nie mehr gehen lassen wolle.

11. **käme**: optative subjunctive in the past tense because it expresses a wish which was not realized.

11. **als gönne ... allein**: construe *as if he begrudged himself the joy of this hour alone*. gönnen with a negative means *to begrudge*.

11-12. **als könne sie**: cf. note on **9,** 24.

13-14. **des Gesalbten**: some of the early German emperors were anointed at coronation.

15-16. **sollte heißen**, *was to mean*.

17. **da**: cf. note on **5,** 19.

17. **sich**: cf. note on **11,** 13.

20-21. **wenn sie ... ließe**, *if she would not give up the rascal*.

23. **vor**: with a time phrase is translated *ago*.

28. **gesenkten Hauptes**: cf. note on **6,** 21.

29. **was**: cf. note on **9,** 6.

Seite 14

4. **du auch noch**, literally *you too even*: noch is used for emphasis and may be omitted if the English emphatic form of the verb is used. Translate *you too do believe.*

7. **mich soll ... machen**, *none shall mislead me about you.*

Anmerkungen

7. **kennen:** *know*, when referring to people.
9. **wissen:** *know*, when referring to facts.
10. **was:** cf. note on **9, 6**.
17. **der = er,** the correlative with **wer; der** followed by normal word order is in German a demonstrative pronoun best translated by an English personal pronoun.
18. **willst:** colloquial omission of pronoun **du.**
19. **zu Ehren:** old dative singular ending of Middle High German.
22. **als:** cf. note on **12, 10.**
24. **gelt:** South German colloquial **nicht wahr.** *And you'll come, won't you?*
26. **als sei's:** cf. note on **9, 24.**
28. **die beiden:** *two of one kind* is expressed by **beide** instead of the numeral **zwei.**

Seite 15

1–2. **regte sich's ... Frühlingskeimen,** *there was a gushing forth* (welling up) *like a first tremor and budding forth of springtime.*
3. **es:** introductory subject. Omit **es** and start the sentence with the real subject **alles.**
6. **was = etwas.**
6. **Rechtes:** cf. note on **12, 6.** Construe *something worth while.*
6. **kann:** either supply infinitive **schaffen** or construe **kann** as meaning *to know.*
6. **mir:** ethical dative, or dative of reference (also called dative of interest). This dative has become obsolete in English.
6–7. **wo ... sei,** *wherever he may be.*
9. **doch:** used for emphasis. Translate by *only.*
10. **der:** cf. note on **14, 17.**
12. **recht,** *earnestly.*
15. **als:** cf. note on **9, 24.**
20. **ihnen ahnte: Ahnen** may be an impersonal verb in German. In the inverted word order the impersonal subject **es** is omitted. Make the German dative of the person the subject of the verb **ahnen,** hence: *they surmised a great disaster.*
21. **wollten = gehen wollten.**
24. **denn:** cf. note on **7, 7.**
25. **ja:** cf. note on **1, 4.**

Seite 16

3. **mir:** cf. note on **15,** 6; cf. colloquial English, *Why did he die on me?*
8. **als könne:** cf. note on **9,** 24.
10. **kommt:** present tense for English future tense.
12. **der:** see note on **14,** 17.
13–14. **wie ... Sterne:** cf. note on **2,** 29.
16–17. **mit ... Armen:** cf. note on **2,** 29.
21–22. **vollbringe:** present indicative used to express a real condition.
22. **was:** cf. note on **9,** 6.
24–25. **ein Ränzel auf dem Rücken** is an absolute accusative. Construe *with a knapsack on his back*. The definite article is used in place of the possessive adjective with parts of the body and clothing.

Seite 17

4. **mit ... Scheiben:** cf. note on **2,** 29.
7. **nur noch,** *only*.
14. Biblical allusion: Matthew 13: 57; Ein Prophet gilt nirgends weniger als in seinem Vaterland.
18. **seiner:** old genitive depending on dachte. Modern usage requires the accusative with an.
18. **für und für,** *on and on*.
19. **bräutlicher Sehnsucht** = mit der Sehnsucht einer Braut. Braut means *betrothed maiden*. Formerly it had the same meaning as its cognate *bride*.
23. **heranwachse, erfreue, wiederkäme:** subjunctives of purpose, *might grow up*, etc.
24. **was:** after the indefinite neuter antecedent das einzige, was is here used as a simple relative.

Seite 18

2. **damit ... finde:** subjunctive of purpose with damit. Translate *in order that he might find*.
4. **wollte:** idiomatic use of wollen, *was about to*. Es will dunkel werden, *It is just about to get dark*.
8. **Tun** = Arbeit.
11. **immer stiller:** stiller und stiller.
11. **ward:** old form of wurde.
13. **Reformationskämpfe:** The Reformation began in Germany, through Martin Luther, an Augustinian monk born in 1483 at Eisleben.

In October 31, 1517, he posted his ninety-five theses against the misuse of absolution or indulgences. In 1518 he was summoned to Augsburg by Cardinal de Vio of Cajetanus. Luther could not be induced to abjure. A papal bull was issued against forty-one articles of Luther. Luther burned the papal bull and the canon law, whereupon he was excommunicated. By this act the impetus was given to the Reformation.

17–18. Kaiserstuhls: cf. note on **1**, 3.

21. Erzherzog Ferdinand: was the grandson of Maximilian. He was the representative of the younger German line of the House of Hapsburg and married Anna, sister of Louis XII, last king of Bohemia and Hungary. Ferdinand died in 1564.

24. das Seine = seinen Teil.

28. fehlte es an, *there was a lack of*.

29. solch einem: 1. When ein follows solch, ein is inflected like the indefinite article and solch remains uninflected. 2. When ein precedes solch, indefinite article ein is inflected as usual and solch is like adjective in mixed declension. 3. Solcher used alone takes ending of definite article.

Seite 19

1. mußte ... abgeholfen werden: impersonal construction; the impersonal subject es is omitted in inversion. The dative Mangel becomes the subject in the translation; *such a lack had to be remedied*.

3. führe: cf. note on **17**, 23.

5. dem = ihm. German demonstrative pronoun is translated by an English personal pronoun.

9. immer trüber: cf. note on **18**, 11.

12. hatte hören lassen = daß Hans nichts mehr von sich hören ließ. Double infinitive after the compound tense of lassen.

14–15. Maria ... todesmüde: *Maria was not tired of the futile waiting but tired from the effect of this futile waiting*, i.e. the effect of the waiting told on her.

16. denn: cf. note on **7**, 7.

20. begrabe: cf. note on **17**, 23.

20–21. als Kind = als ich ein Kind war.

Seite 20

20. sich: cf. note on **11**, 13.

20–21. die ... Liebe spricht nicht: refers to a passage in Friedrich Halm's drama: Der Sohn der Wildnis: „Und sprich, wie redet die Liebe. Sie redet nicht, sie liebt!"

Anmerkungen

22. mein treues Lieb: archaic or poetical for meine treue Liebe.

26. aus: adverb = weg.

26. hätteſt ... wiederkommen können: double infinitive construction with the compound tense of modal auxiliary können.

27. wäre ich: inverted word order because the conjunction wenn is omitted.

29. Schimpf und Schande: *with infamy and disgrace.* Alliteration often found in German. Sometimes it can be translated by only one word: Mann und Maus, *everybody.* The article is omitted in these expressions. Dick und dünn, *thick and thin.*

Seite 21

1. uns: cf. note on **11, 13**.

1–2. um zu meiden = um zu ſcheiden. Meiden is an old term used at time of the Minnesänger in the 12th and 13th centuries. Now only used in poetical forms.

2. Schau = ſieh: Colloquial South German expression.

6. beim Dürer = *at Dürer's place.* Bei used to indicate home of or place of. Notice the definite article before the proper name Dürer. Common usage in German.

7. mit Ehren: cf. note on **14, 19**.

11. es kann ... fehlen: idiomatic, *I am bound to succeed.*

14. werde ich: cf. note on **20, 27**.

17. den, *her.* Definite article used in place of a possessive adjective when preceding parts of the body or clothing.

20. als hätt': cf. note on **9, 24**.

Seite 22

1. ſchüchternen Schrittes: cf. note on **4, 29**.

3. möge: optative subjunctive = *I hope the wise councillors may pardon.*

6. denn: cf. note on **7, 7**.

10. Nacht und Nebel: cf. note on **20, 29**.

15. ſolch einem: cf. note on **18, 29**.

16. was anderes = etwas anderes.

16. als: cf. note on **12, 10**.

16. kann: infinitive tun omitted after modal kann.

21. könne: subjunctive of possibility. On omission of tun, see line 16.

25. Der Liefrink ... anders, *Liefrink will not have it any different.*

26. möchten, *should.* All the following subjunctives are used to denote the indirect speech of Hans' words.

Anmerkungen

Seite 23

5. **doch ... nicht,** *not so bad.*
10. **am Ende,** *after all.*
14–15. **als dummen Jungen:** als denotes identity: wie denotes similarity. Translate *whom everyone knew as a stupid boy.*
15. **so,** *just, naturally.*
16. **so,** *merely.*
22. **komme:** cf. note on **17,** 23.
22–23. **die ... schicken:** cf. note on **2,** 29.
26. **ergangen (war):** cf. note on **11,** 1.

Seite 24

2. **Kämpfe:** cf. note on **6, 17.**
8. **Künstlers:** Hans himself.
14. **denn:** cf. note on **6,** 24.
15. **könne:** and all following subjunctives are subjunctives of indirect discourse. The quotation marks indicate that with the exception of changes in the pronoun and verbs the letter is an exact reproduction of Dürer's letter.
16. **nichts Schöneres:** cf. note on **12,** 6.
19. **einen solchen:** cf. note on **18,** 29.
21. **ehr- und tugendsamer** = ehrsamer und tugendsamer. This manner of joining words is common in German.
29. **Was es gäbe,** *what was happening.* Subjunctive of indirect discourse.

Seite 25

8. **tut Euch ... zu wissen:** official form: *notifies and informs you.*
17–18. **Wortführer** = Sprecher.

Seite 26

1. **Klopfenden Herzens:** cf. note on **6,** 21.
7. **Braucht Euch:** cf. note on **14,** 18. In this case ihr is omitted.
23. **der soll kommen,** *let anyone dare to come.*
27. **lebe:** present tense used to indicate action started in present perfect time and extending into present time.
27. **Das einzige ... bekam,** *the only present which I ever received.*

Seite 27

3. **faul empfangen und faul verbraucht,** *received in idleness and used up in idleness.*

18. **Geld und Gut,** *a living.* Cf. note on **20,** 29.

21. **der alle sieben Tauben,** etc., is similar to the proverb **Ein Sperling** (sparrow) **in der Hand ist besser als zehn auf dem Dache.** English: *A bird in the hand is worth two in the bush.*

Seite 28

11–12. **dem ist aber nicht mehr so** = **das ist aber nicht mehr der Fall.**

22. **was Rechtes** = **etwas Rechtes,** *something fine.*

Seite 29

11. **Humanisten:** The Humanists were those scholars of the 14th, 15th and 16th centuries who placed emphasis upon the ancient classics as a necessary foundation for true culture. The first impetus to a revival of learning came in the 14th century through the Italian poets Dante and Petrarch. The introduction of Greek learning, the invention of printing, by Anton Gutenberg in 1450, the discovery of America, the discovery of the solar system by Copernicus in 1507, all played important parts in the humanistic movement, which finally freed the mind from the fetters of dogma and tradition. In Germany the humanistic movement became a religious movement which resulted in the Protestant Reformation.

28–29. **werde ... gäbe:** cf. note on **17,** 23.

Seite 30

13. **so wahr ... helfe,** *so help me God!*
19. **zucke:** cf. note on **9,** 24.
20–21. **damit ... werde:** cf. note on **18, 2.**
25. **ihm schwindelte,** *he became dizzy.*

Seite 31

6. **Sponeck:** a castle on the Rhine several miles from Breisach.

10. **Elsässer:** adjectives formed from names of places are always capitalized and never inflected.

11. **Elsaß:** Alsace, Latin Alsatia. At the time of Caesar this region was occupied by several Celtic tribes among which some Germanic tribes settled. The Alemanni, a powerful Germanic tribe, conquered

Anmerkungen

these Celtic Roman tribes, which within a short time were almost completely absorbed by their victors. But in 496 the latter were in turn conquered by a still mightier Germanic tribe, the Franks. Through the Treaty of Verdun in 843 this Franconian possession was incorporated into the Empire of Lothar. It was ruled by different noble families of which perhaps the Etichonen were the most powerful. Finally it became a possession of Duke Sigismund, one of the Italian line of the House of Hapsburg. Duke Sigismund mortgaged Alsace to Charles the Bold of Burgundy in 1469. It was redeemed in 1471. But part of Alsace was often given as a mortgage when its owners were in need of money. Thus the control of Alsace shifted promiscuously from one ruler to another. At last in the Peace of Westphalia, 1648, the son of Archduke Leopold of Hapsburg gave up to Louis XIV the claim to Upper Alsace including ten imperial cities, for an indemnity of 3,000,000 francs. Through a diplomatic error Louis XIV managed to obtain also part of Lower Alsace. Thereupon the French encroached more and more upon the rest of Alsace and after the French revolution they were in full possession of all the region. Although the Germans had been deprived of Alsace for over two hundred years they had never forgotten that Alsace once upon a time was a German possession. In 1871 the Germans conquered the French in the Franco-Prussian War and Alsace again became German till 1919, when by the Treaty of Versailles it was again given to France. It is claimed that at the present time many of the Alsatians are in favor of autonomy.

14. es: i.e., deutsch. Irony.

14-15. Sehnsüchtigen Blickes: cf. note of 4, 29.

15. Straßburg: Louis XIV took Strassburg in 1681 and it remained French until it was recaptured by General von Werder in the Franco-Prussian War, 1870.

20-21. wo immer ... waltete, *where the spirit of the Kaiser ever held sway with its blessing.*

22. trieb es ... wieder, *something kept driving him.*

28-29. höhe, stiege, erweichte, hälfe: all subjunctives of conditions contrary to fact.

Seite 32

3-4. solle, mache, sei: subjunctive of indirect discourse after the phrase Einen Eid getan, *sworn an oath that,* etc.

9. sich: translated by a personal pronoun. When the subject and the object of a construction stand for the same person, the reflexive pronoun is used in German instead of a personal pronoun.

14. **mir:** cf. note on **15,** 6.
20. **ihm war** = es schien ihm.

Seite 33

9. **Marienau:** Au = Aue, meadow.
11. **hin und wieder,** *now and then.*
12–13. **gedrungen wäre:** dubitative subjunctive used to make a statement seem less positive.
15. **hinein:** not translatable. An adverb of direction used to strengthen the force of the preposition **in,** *clear into the night.*
19. **aufs höchste:** absolute superlative.

Seite 34

6. **Mariä Himmelfahrt:** August 15. Ascension of Virgin Mary. **Mariä:** old Latin genitive Mariae.
6. **diesem,** *the latter;* **jenem,** *the former.*
7. **aller Frühe** = früh am Morgen.
8–9. **dem ... Gotteshaus:** cf. note on **2,** 29.
15. **prüfenden Auges:** cf. note on **4,** 29.
19. **Schweiß:** construe Arbeit. Compare two lines below.
23. **zu Mute war,** *how Hans Liefrink felt.*

Seite 35

4. **ureigenster Gestalt,** *most characteristic form.*
13–14. **so besonders in seiner Art,** *so characteristic in his manner.* For example, Peter with the key, John, the Baptist, with the lamb, etc.
15. **deren mittelste,** *the most central part of which.*
16. **sich hinzog,** *crept along on the vaulting of the choir loft.*
25. **wie mußte ... werden,** *how fervently they were prompted to pray.*
26. **Schellen der Wandlung:** cf. note on **4,** 21.
29. **alles:** generalizing neuter singular = Jedermann.

Seite 36

15. **der Mutter:** dative after adjective ähnlich.
22. **lieben:** unusual for strong adjective liebe since it is used without der or inflected ein=word. May be due to the fact that meine is felt to precede lieben.
23. **nichts Schöneres:** cf. note on **12,** 6.

Anmerkungen

Seite 37

4. **mit ſich**: cf. note on **32,** 9.

Seite 38

10–11. **Erfüllung ... nieder**: Compare Goethe's Iphigenie auf Tauris, Act III, Scene 1:

> So ſteigſt du denn, Erfüllung, ſchönſte Tochter
> Des größten Vaters, endlich zu mir nieder!

12. **der ... Max**: see note **2,** 29.
13. **mit** = mit ihnen.
14. **aller Eile** = großer Eile.
18. **Gottes ſeien dieſe Roſen,** *May these roses be God's*. Optative subjunctive.
22. **ſo**: archaic for relative welche.

Seite 39

17. **Kaiſertradition**: Popular belief was that the Emperor Frederick of Hohenstaufen, called Barbarossa (Italian for "red beard"), who was drowned during the third crusade in 1190, was merely sleeping in the Kyffhäuser Mountain in Central Germany. See Rückert's poem **Barbaroſſa**.

Übungen[1]

Erste Übung

(Seite 5-6)

Wiederholung der Hauptwörter

1. Zwei stattliche Männer schritten über den Rasen.
2. Der eine hatte lange Locken und breite Schultern.
3. Der Kaiser ruhte in der Stadt Breisach aus.
4. Das Städtchen lag am Oberrhein.
5. Er schrieb die zärtlichen Briefe an seine Tochter.
6. Der Kaiser arbeitete gern in dieser Ruhe und Stille.

A. Deklinieren Sie die folgenden Hauptwörter und geben Sie die Klassen an, zu welchen sie gehören: Messer, Männer, Rasen, Locken, Schultern, Kaiser, Stadt, Städtchen, Briefe, Tochter, Ruhe.

B. Verwandeln Sie die obigen Sätze in Fragen.

C. Beantworten Sie diese Fragen mit Nein.

Zweite Übung

(Seite 6)

Fortsetzung der Hauptwörter

1. Diese Wolken kündeten einen Sturm an.
2. Er liebte jenen stillen Fleck Erde.
3. Sein Auge hing an der heiteren Landschaft.
4. Jeder treue Ritter folgt seinem Herrn.
5. Dieser Geheimschreiber deutete auf jene Gruppe Kinder.
6. Jene Kinder pflanzten einen Rosenstock.

A. Deklinieren Sie mit welcher: Fleck, Auge, Landschaft.
Deklinieren Sie mit solcher: Ritter, Herr.
Deklinieren Sie mit mancher: Kinder, Rosenstock, Arbeit.
Deklinieren Sie in der Einzahl mit jeder: Gruppe, Mädchen.

[1] These exercises offer a general grammar review.

Übungen

B. Ergänzen Sie mit einem passenden „der=Wort."
— Mädchen ist —— ältere.
— Kleinen waren in —— Arbeit vertieft.
— Künstler hat Phantasie.

Dritte Übung

(Seite 7 bis Seite 8)

Wiederholung der „ein=Wörter" als Adjektive

1. Wir setzen unserem lieben Gott einen Rosenstock.
2. Es ist deine Schwester.
3. Das ist mein Nachbarskind.
4. Wenn ich kein Messer habe, kann ich nicht schneiden.
5. Ich habe kein Geld.
6. Eure Väter übten diese Kunst.

A. Ergänzen Sie die fehlenden „ein=Wörter."
1. M— Vater ist tot und m— Mutter kauft mir k— Messer.
2. —— helles Feuer loderte auf.
3. Gib sie d— Mutter nicht.
4. Bring' Dürer —— Gruß von mir.
5. Er schüttelte des Kaisers Hand in s— großen Freude.
6. Ich sah zwei junge Burschen d— Namens bei Dürer.
7. Sind das m— Verwandte?
8. Der Kaiser hatte —— Messer mit —— kunstreichen Griff.
9. Willst du nicht zu d— Vettern gehen?

Vierte Übung

(Seite 8 bis Seite 13)

Das „ein=Wort" als Fürwort gebraucht

1. Hans verlor seine Mutter und Maili ihre.
2. Das Bäumchen vereinte ihre beiden Hände in seiner.
3. Seine Familie waren Niederländer, und ihre war eine alte Breisacher Familie.
4. Keiner ging bei ihm ein noch aus.

A. Ergänzen Sie das fehlende „ein=Wort" als Adjektiv oder als Fürwort gebraucht.
1. —— der beiden Kinder war erst acht Jahre alt, das andere war zwölf.
2. S— stolzer Nachbar ließ — hohe Mauer zwischen Hansens Garten und s— aufführen.

Übungen

B. Konjugieren Sie und setzen Sie (insert) jedesmal das passende possessive Adjektiv ein.
1. Ich wohne in meinem kleinen Hause.
2. Ich treffe meinen Nachbar.

C. Verwandeln Sie in den Plural:
Ich habe meinen Freund, hast du deinen?
Sein Baum ist größer als ihrer.

Fünfte Übung

(Seite 10 bis Seite 15)

Deklination der Adjektive

Starke Deklination ohne „der- oder ein-Wort"

Adjektiv hat Endung des „der-Wortes." Wenn der Genetiv des Hauptwortes in -es endet, wird der Genetiv des Adjektivs in -en verändert: gesenkten Hauptes, armes Knaben.
1. Hans schnitzte dem Maili schöne Spielsachen.
2. Er erzählte ihr von großen Meistern.
3. Er hatte Locken wie von kastanienbrauner Seide.
4. „Maili," sagte der Jüngling mit tiefem Schmerz.
5. Das Mädchen stand gesenkten Hauptes vor dem Jüngling.

A. Deklinieren Sie:
1. Berühmter Bildhauer.
2. Stolzer Nachbar.
3. Kunstreiche Hand.
4. Schöne Knospe.
5. Blaues Auge.
6. Sanftes Gesicht.

B. Finden Sie auf Seite 12 fünf Hauptwörter, die zur ersten Klasse der starken Deklination gehören und deklinieren Sie dieselben mit starken Adjektiven in der Einzahl und Mehrzahl.

Sechste Übung

(Seite 13 bis Seite 15)

Deklination der Adjektive

Die schwache Deklination folgt einem „der=Wort"

(—e in fünf Fällen: – Einzahl Nom.: Mas. Fem. Neut.
Akk.: Fem. Neut.
und in allen anderen Fällen —en)

1. Hans schnitt mit dem heiligen Messer die Namen.
2. Die jungen Leute standen zum letzten Mal unter dem Rosenstock.
3. Sie knieten beide in dem feuchten, kalten Wintergras nieder.
4. Die große Glocke des alten Münsters schlug.
5. Der arme Hans stand wie vom Donner gerührt.

A. Deklinieren Sie:
   1. Der treue Spielkamerad.
   2. Welcher andere Tag.
   3. Die schöne Kirche.
   4. Jene alte Familie.
   5. Das junge Herz.
   6. Solches große Münster.

B. Finden Sie auf Seite 14 fünf Hauptwörter, die zur zweiten Klasse der starken Deklination gehören und deklinieren Sie diese mit schwachen Adjektiven.

Siebente Übung

(Seite 13 bis Seite 17)

Deklination der Adjektive, die zur gemischten Deklination gehören, d.h. die einem „ein=Wort" folgen und daher in drei Fällen stark dekliniert werden und in allen anderen Fällen schwach.

1. Hans war ein zwanzigjähriger schöner Jüngling.
2. Ein Lächeln glitt über ihr sanftes Mädchengesicht.
3. Sie faltete ihre zarten Finger über seine starke Hand.
4. Er schluchzte: „Mein lieber, guter Kaiser, warum bist du mir gestorben?"
5. Maili legte ihre sanfte Hand auf seine Schulter.
6. Ihre blauen Augen schimmerten.
7. Er schloß sein kleines Haus ab.
8. Ein weißes Tüchlein wehte einen stummen Abschiedsgruß.

A. Deklinieren Sie:
1. Kein fester Tritt.
2. Sein letzter Rest.
3. Seine volle, weiche Stimme.
4. Deine hohe Freude.
5. Ihr niederes Fensterchen.
6. Euer weißes Tüchelchen.

B. Finden Sie im zweiten Kapitel fünf Hauptwörter die zur dritten Klasse der starken Deklination gehören und fünf Hauptwörter die zur schwachen Deklination gehören — Deklinieren Sie dieselben mit Adjektiven in der gemischten Deklination.

Achte Übung

(Seite 17 bis Seite 20)

Steigerung der Adjektive und Adverbien

Komp. –er, Superl. –st. Adjektiv im Prädikat: Komp. –er, Superl. am —sten.

1. Der Baum erfreute das Herz des Treuliebsten.
2. Das Bäumchen war höher als die Nische.
3. Sein schönes Kind wurde immer trauriger und stiller.
4. Die Bauern standen in Waffen auf für die neuere Lehre.
5. Dürer konnte nichts Schöneres empfehlen.
6. Hans sandte die schönsten Zeichnungen ein.
7. Die Zeichnungen waren am schönsten.
8. Der messingene Klopfer erschallte am lautesten.
9. Hans arbeitete aufs fleißigste.

A. Ergänzen Sie die fehlenden Endungen.
1. Die kleine Stadt zitterte für den älter– Glauben.
2. Es fehlte an ein– würdiger– Hochaltar.
3. Kein Stern fällt schnell– vom Himmel.
4. „Der Rat möge aufs gnädig– verzeihen," bat er.

B. Deklinieren Sie im Komparativ und Superlativ:
1. armer Gesell. 2. rote Rose. 3. kleines Haus.

Steigern Sie als Predikat=Adjektiv:
1. still. 2. fromm. 3. gut. 4. trüb. 5. warm.

Neunte Übung
(Seite 20 bis Seite 27)

A. Ergänzen Sie die fehlenden Endungen.
   1. Ein leis– Schrei freudig– Schrecks entging Mailis Lippen.
   2. Mein– Tochter will kein– ehrsam– Mannes Weib werden.
   3. Der groß– Mann erkannte in dem arm– Knaben ein künstlerisch– Streben.
   4. Es war kein faul– Almosen.
   5. Jetzt kommen schwer– Zeiten.
   6. Ihr treibt solch– brotlos– Kunst.
   7. Draußen ringsum liegt ein– lachend– lockend– Welt im ersten Sonnenglanz der erwachend– Idee des Schönen.
   8. Hier in dies– dunkel– Winkel mißhandelt man mich.
   9. So wenig du ein– Altar in das Münster hineinbringst der höh– ist, als das Münster, so wenig soll mein– einzig– Tochter dein Weib werden.
   10. Er eilte zu sein– alt– Freund, d– Kaiserbaum.
   11. Es war munt– deutsch– Blut.

B. Deklinieren Sie:
   1. Solcher Altar.
   2. Ein solcher Altar.
   3. Solch ein Altar.

Zehnte Übung
(Seite 26 bis Seite 30)
Das schwache Zeitwort

Setzen Sie die folgenden Sätze in die Vergangenheit und in das Perfekt und Plusquamperfekt.
   1. Ich kümmere mich nicht darum, wie's draußen ist.
   2. Ich sage dir, was hierzulande Brauch ist.
   3. Er schnitzt einen Altar, der höher als die Kirche ist.
   4. Du führst ein Weib heim.
   5. Hans eilt zu Maili.
   6. Das heilige Messer zuckt ihm in der Tasche.
   7. Ich präge dir deine Schande ins Gesicht.
   8. Er kämpft einen inneren Kampf.
   9. Er besiegt sich.
   10. Er neigt das Haupt.
   11. Er lehnt sich an einen Türpfosten.
   12. Die Kinder ahnen nichts.

Elfte Übung

(Seite 31 bis Seite 33)

Das starke Zeitwort

Setzen Sie die folgenden Sätze 1. in das Präsens, 2. in das Perfekt und 3. in das Plusquamperfekt.

1. Die schöne Natur schien ihm wie eine teilnahmslose Freundin.
2. Es trieb ihn immer wieder zum Rosenbaum.
3. Da hatte er sein Heil gefunden.
4. Ruppacher selbst konnte ihm seine Tochter nicht geben.
5. Dies war unmöglich.
6. Aber Wunder tat Gott nicht.
7. Immer sah er das todesbleiche geliebte Mädchen vor sich.
8. Alles blieb still um ihn her.
9. Da gab ihm etwas einen derben Schlag auf den Rücken.
10. Es stand kerzengrade über die Wölbung hinausragend.
11. Wie ein Blitz schoß dem armen Hans ein Gedanke durch den Kopf.

Zwölfte Übung

(Seite 31 bis Seite 33)

Trennbare und untrennbare Vorsilben

Setzen Sie die folgenden Sätze 1. in das Präsens, 2. in das Perfekt, 3. in das Futur.

1. Die Sonnenstrahlen verbannte jede Dunkelheit. Er eilte fort.
2. Der Rhein bespülte den schroffen Felsen. Glanz und Herrlichkeit strahlten vom Firmament nieder.
3. Der Glanz des reinen Himmels tat ihm weh.
4. Er berührte es nicht.
5. Aber Maili richtete ihn nicht mit stolzen Hoffnungen auf.
6. Das Rosenbäumchen hatte sich durch eigene Kraft von der Nische losgerissen.
7. Es war im Emporschnellen an Hans angeprallt.
8. Er fuhr zusammen. Er blickte um.
9. Das Bäumchen stand nun kerzengrade da. Es ragte über die Wölbung hinaus. Maili hatte es in die Wölbung hineingebunden.
10. Elsässer Kinder schäckerten am Ufer, sie warfen Steine hinüber. Verbinden Sie die Satzpaare 2, 8, 10 mit während: Beispiel: Der Sonnenstrahl verbannte jede Dunkelheit, während er forteilte.

Dreizehnte Übung

(Seite 30 bis Seite 34)

Das Reflexiv-Zeitwort

A. Gebrauchen Sie die Inversion in den folgenden Sätzen:
   1. Er besiegte sich.
   2. Er lehnte sich an einen Türpfosten.
   3. Die stolze Burg hob sich vom goldenen Hintergrunde ab.
   4. Er stürzt sich zu den Füßen der Geliebten.
   5. Du schmücktest dich.
   6. Ich setzte mich.
   7. Ruppacher erweicht sich nicht.
   8. Das Bäumchen reißt sich von der Rückwand los.
   9. Ich lasse mich nicht beirren.

B. Konjugieren Sie im Präsens, Einzahl und Mehrzahl, Sätze 1-2-5-6-9.

Vierzehnte Übung

(Seite 33)

Wirkliche und unwirkliche Konditionalsätze in der Gegenwart (present)
   1. Wenn Ruppacher das Mädchen nicht mehr hüten kann, bringt er sie in ein Kloster.
   2. Wenn die Klausur der jungen Gefangenen nicht so streng ist, bringt ein Gruß vom Haus zu ihr.
   3. Wenn das im Vertrag steht, so zeigt Hans sein Werk.
   4. Wenn er unverdrossen arbeitet, ist das Werk bald vollendet.
   5. Wenn die Arbeit schön ist, macht sie einen guten Eindruck.
   6. Wenn das möglich ist, ist es ein Wunder.
   7. Wenn ich ein Künstler bin, brauche ich den Kaiser nicht mehr.

A. Gebrauchen Sie Inversion in den obigen Sätzen ohne wenn.

B. Verwandeln Sie die obigen Sätze in unwirkliche Konditionalsätze in der Gegenwart, (unreal conditional sentences in present time) das heißt, mit dem Imperfekt des Konjunktivs (subjunctive mode) oder dem ersten Konditional (present conditional).

Fünfzehnte Übung

(Seite 34)

Unwirkliche Konditionalsätze in der Vergangenheit

A. Verwandeln Sie die sieben Sätze der Übung 14 in unwirkliche Konditionalsätze in der Vergangenheit, das heißt, mit Plusquamperfekt des Konjunktivs in beiden Satzteilen (clauses).

B. Kehren Sie (invert) die Satzteile der obigen unwirklichen Konditionalsätze um.

C. Verwandeln Sie die folgenden unwirklichen Konditionalsätze in der Gegenwart in Konditionalsätze in der Vergangenheit.
 1. Wenn das Münster nicht so groß wäre, hätte die Menge nicht Platz genug.
 2. Wenn Hans nicht ein Künstler wäre, würde er kein Wunderwerk schaffen.
 3. Wenn die Glocke weithin ertönte, kämen alle Landleute.
 4. Wenn der Gottesdienst vorüber wäre, würde der Meister hervortreten.

Sechzehnte Übung

Wunschsätze (Optative Subjunctive in Present and Past time)
Passiv (Passive Voice)

 1. Herr segne meine Arbeit! (Seite 34)
 2. Gottes seien diese Rosen! (Seite 38)
 3. Gott helfe mir! (Seite 30 Zeile 13)
 4. Wenn der Kaiser nun wieder hier wäre!
 5. Wenn der Kaiser nur jetzt käme! (Seite 13)

A. Verwandeln Sie folgende Sätze vom Passiv in das Aktiv. (z.B. Das Münster wurde vom Gemeinderat geschlossen. Der Gemeinderat schloß das Münster.)
 1. Die einzelnen Stücke werden von Hans aus der Werkstatt gebracht.
 2. Die Arbeit ist von Hans noch einmal betrachtet worden.
 3. Die große Kirche war von den Gläubigen gefüllt worden.

B. Verwandeln Sie die folgenden Sätze vom Aktiv in das Passiv. (z.B.

Die große Glocke ruft die Gläubigen zur Kirche. Die Gläubigen werden von der großen Glocke zur Kirche gerufen.)
1. Er sprach ein leises Gebet.
2. Hans hat einen letzten Blick auf seine Schöpfung geworfen.
3. Das Werk hatte einen großen Eindruck auf das Volk gemacht.

C. Geben Sie die Synopsis sowohl im Indikativ als im Konjuntiv von: Ein Gebet wird gesprochen.

Siebzehnte Übung

Die indirekte Rede (indirect speech)

Man gebraucht in der indirekten Rede dieselbe Zeit (tense), die in der direkten Rede gebraucht wurde, jedoch das Imperfekt der direkten Rede wird entweder Perfekt oder Plusquamperfekt in der indirekten Rede.
1. Sie meinten, der Kaiser müsse wiederkommen.
2. Dürer schrieb, daß er ihnen nichts Schöneres empfehlen könne.
3. Er sagte, daß Hans ein tugendsamer Jüngling sei.
4. Maili erzählte, daß der Kaiser dem Hans das Messer gegeben hätte.

A. Verwandeln Sie die obigen Sätze in die direkte Rede.

B. Verwandeln Sie die folgenden Sätze in die indirekte Rede. Gebrauchen Sie dabei zuerst den Indikativ und dann den Konjunktiv.
1. Der Kaiser sagte zu Hans: „Du hattest recht."
2. Der Kaiser fragte Hans: „Versprichst du mir alles?"
3. Hans antwortete: „Ich kenne einen ehrsamen Mann."
4. Hans sagte: „Der Altar ist einen Schuh höher als die Kirche und ich habe die Spitze umgebogen."

C. Erklären Sie den Unterschied zwischen **könne** und **ist** im folgenden Satze: Meine Mutter hat gesagt, ohne Geld könne man nicht heiraten, weil sie eine **Ratstochter** ist.

Fragen

Das Messer

1. (Seite 5) Wer schritt über den Rasen?
2. Beschreiben Sie den älteren Mann!
3. (Seite 6) Was tat der Kaiser in seiner Stadt Breisach?
4. Welche Feinde drohten dem Reiche?
5. (Seite 7) Beschreiben Sie die zwei Kinder, die der Kaiser sah.
6. Was taten die Kinder, als der Kaiser sie sah?
7. Was fragte Kaiser Maximilian die Kinder?
8. Was sagte der Junge?
9. Warum wollte der Junge ein Messer?
10. (Seite 8) Was gab der Kaiser dem Jungen?
11. Wie bedankte sich der Junge?
12. (Seite 9) Wozu soll Hans das lederne Beutelchen, das der Kaiser ihm gab, verwenden?
13. Wohin soll Hans gehen, wenn er groß ist?
14. Was soll er dem Dürer vom Kaiser bringen? und was soll er dem Dürer sagen?
15. Wie will Hans einmal den lieben Gott schneiden?

Unter dem Kaiserbaum

1. (Seite 10) Was schnitzt Hans für Maili?
2. Wovon erzählte er ihr?
3. (Seite 11) Wie hatten sie den Rosenstock getauft?
4. Wo weilten sie am liebsten? Warum?
5. Was riefen die Kinder oft laut?
6. Was für ein Freund war das Bäumchen?
7. Warum durfte Hans nicht mehr mit Maili verkehren?
8. Warum wehrt es der Vater?
9. (Seite 12) Wem hatte Hans zur Flucht verholfen?
10. Wie kam es, daß die jungen Leute sich nur beim Kaiserbaum treffen konnten?
11. Welches Lied sang Hans eines Abends, als Maili lange nicht zum Rosenbäumchen gekommen war?

12. (Seite 13) Wann kam Maili? Und was tat sie?
13. Was rief Hans laut aus?
14. Welche Buchstaben schnitzte Hans in die Rinde des Rosenstocks? Und was schnitzte er darüber?
15. Womit drohte Ruppacher dem Mädchen, wenn sie nicht von Hans ließe?
16. Wo standen eines Abends die jungen Leute zum letzten Male?
17. Was hatte Maili dem Hans erzählt?
18. (Seite 14) Was antwortete Maili, als Hans sie fragte, ob sie das glaube?
19. Was fragt Hans das Maili?
20. Welche Antwort gab ihm Maili?
21. (Seite 15) Wohin will Hans gehen und was will er dort tun?
22. Wofür wollen die beiden recht beten?
23. Was ahnte den Liebenden, als die große Glocke schlug?
24. Was schrieen die Leute?
25. (Seite 16) Mit welchen Worten tröstete Maili den Hans?
26. Was flüsterte Hans?
27. Wann trat Hans reisefertig aus seiner Tür?
28. Wo hatte Hans das lederne Beutelchen?
29. Wohin steckte er den Schlüssel?
30. Wie schritt er von dannen?
31. (Seite 17) Beschreiben Sie Mailis Abschied.

Kein Prophet im Vaterland

1. (Seite 17) Wie lange war Hans verschollen?
2. Nur wer dachte seiner?
3. Wie pflegte Maria Ruppacher das Bäumchen?
4. (Seite 18) Wie hoch war das Bäumchen?
5. Was tat Maria mit dem Bäumchen?
6. An was band sie es fest?
7. Wie gingen ihre Tage hin?
8. Warum konnte Ruppacher nicht Maria mit Gewalt verheiraten?
9. Warum wurden Stiftungen und Schenkungen gemacht?
10. Woran fehlte es in Breisach?
11. (Seite 19) Was für ein Werk beschloß man herstellen zu lassen?
12. Was sollen die deutschen Künstler einsenden?
13. Wem sollte die Ausführung übertragen werden?
14. Warum hörte Maria nicht viel von alledem?
15. Warum war Maria todesmüde?
16. Was begann sie in ihren letzten Willen niederzuschreiben?

Fragen

17. Was erscholl plötzlich?
18. Was widerholte Maria?
19. (Seite 20) Wie lief Maria den Berg hinan?
20. Wo hielt sie an?
21. Was umschlang Maria im selben Augenblick?
22. Wo saß Hans, als Maria wieder zur Besinnung kam?
23. Was sagte Hans?
24. Was antwortete Maria?
25. Warum konnte Hans nicht früher kommen?
26. (Seite 21) Meinte Hans, daß er Marias Vater erweichen könne?
27. Warum meinte er das?
28. Wer hatte mehr Hoffnung, Maria oder Hans?
29. (Seite 22) Wer trat eine halbe Stunde später in den Breisacher Sitzungssaal?
30. Was tat er?
31. Was fragte der Bürgermeister?
32. Was antwortete der Ratsdiener?
33. Welchen Eindruck machte die Nachricht auf Ruppacher?
34. Was brachte der Ratsdiener?
35. Bei wem sollten die hochweisen Herren nachfragen, was Hans Liefrink könne?
36. (Seite 23) Was sprach der Bürgermeister, als er die Zeichnung von Hans sah?
37. Wurde Hans Liefrink abgewiesen?
38. Auf welchen Gedanken werden die Ratsherren gebracht?
39. Wie war es dem Hans auf dem Rathause ergangen?
40. Was tat Maili als sie das hörte?
41. Auf wen hoffte jetzt Hans?
42. An wen sandte Hans einen Brief?
(42). (Seite 24) Welches Haus bezog Hans wieder?
43. Warum blieb Dürers Antwort lange aus?
44. Wann kam die Antwort Dürers endlich an?
45. Was schrieb Dürer über Hans?
46. Was geschah nach der Ankunft des Briefes?
47. (Seite 25) Was fragte Hans die Herren?
48. Wie begann der Sprecher der Deputation?
49. Wem verdankte Hans dieses Glück?
50. Wer machte ingrimmig seine Fensterläden zu?
51. Wohin ging Hans, nachdem die Deputation ihn verlassen?
52. Welcher Augenblick war jetzt da?

Die Bedingung

1. (Seite 25) Wer machte die Tür auf?
2. (Seite 26) Was tat Maili in ihrem Zimmer?
3. Bei wem trat Hans unerschrocken ein?
4. Was rief Ruppacher?
5. Was antwortete Hans?
6. Warum hat Ruppacher seine Stimme nicht dem Hans gegeben?
7. Was will Hans dem Herrn Rat bringen?
8. Wer war dieser Mann?
9. Was nannte Ruppacher den Hans, als er das hörte?
10. Erzählen Sie, was Hans dem Rat erzählte über seine Eltern?
11. Von wem bekam Hans das einzige Geschenk?
12. (Seite 27) Was hatte Hans mit seinen goldenen Heckpfennigen getan?
13. Worauf zeigte Hans, als Ruppacher ihn fragte, wo Hansens Reichtümer seien?
14. Was wollte Hans damit sagen?
15. Für wie viele Jahre hat Hans reichlich zu leben?
16. Durch was ist er ein gemachter Mann?
17. (Seite 28) Wann dachte Hans, daß er wieder ein Künstler sein dürfe?
18. Was versteht Ruppacher unter einem Künstler?
19. (Seite 29) Wo hatte Hans alle Ehre genossen?
20. Warum muß er sich hier in diesem dunkeln Winkel mit Füßen treten lassen?
21. Warum hat Hans diesen dunkeln Winkel aufgesucht?
22. (Seite 30) Warum konnte Hans denken, daß Ruppacher seine Tochter einem Künstler geben würde?
23. Welche Bedingung stellte Ruppacher dem Hans?
24. Wohin eilte Hans, als er Ruppachers Haus verließ?
25. (Seite 31) Was für ein Mittag war es?
26. Wie lag die Welt vor ihm?
27. Wie kam ihm die Natur vor?
28. Wohin setzte sich Hans?
29. Wen sah er immer vor sich?
30. (Seite 32) Was schluchzte Hans?
31. Wer war diesmal nicht da?
32. Wie blieb alles um ihn her?
33. Wo gab ihm etwas einen derben Schlag?
34. Wovon hatte sich das Rosenbäumchen losgerissen?
35. An wen prallte es im Emporschnellen an?

Fragen

36. Wie stand das Rosenbäumchen jetzt?
37. (Seite 33) Welchen Schrei des Jubels rief Hans aus?

Erfüllt

1. (Seite 33) Wen sah Hans nicht mehr?
2. Wohin brachte Ruppacher das Mädchen?
3. Wie lebte Hans indessen?
4. Wie lange arbeitete Hans?
5. Wann erschien Hans auf dem Rathaus?
6. Was erklärte er?
7. (Seite 34) Auf wie viele Tage wurde das Münster geschlossen?
8. Wann sollte der Altar eingeweiht werden?
9. Warum strömten die Landleute vom Kaiserstuhl und Elsaß herüber?
10. Wie lange war Hans schon in der Kirche?
11. Was betete er?
12. Wohin warf die Morgensonne ihre Strahlen?
13. (Seite 35) Was schallte von dem hohen Gewölbe?
14. Was stand den Leuten vor den Augen?
15. Wie waren alle Figuren?
16. Wohin drängte alles nach dem Gottesdienst?
17. (Seite 36) Wer wurde abgeschickt, um Hans Liefrink zu suchen?
18. Wo trat Hans hervor?
19. Wer trat ihm entgegen und schüttelte ihm die Hand?
20. Wer folgte seinem Beispiel?
21. Wo war Ruppacher?
22. Was flüsterte einer dem anderen zu?
23. Was meinte ein alter Mann?
24. Warum hatte Hans Kaiser Max und Jungfrau Ruppacher im Altar dargestellt?
25. (Seite 37) Wohin näherte Hans sich jetzt?
26. Was rief er mit fester Stimme?
27. Was verlangte Ruppacher von Hans?
28. Was für einen Schwur tat Meister Ruppacher?
29. Wie viel höher als die Kirche war der Altar?
30. Was hat Hans nur umgebogen?
31. Was tat Ruppacher?
32. Was sprach Hans ruhig weiter?
33. (Seite 38) Was sagte Ruppacher endlich?
34. Wer lächelte freundlich auf sie herab?
35. Was brachten einige junge Burschen vom Rosenbäumchen?

36. Was taten sie damit?
37. Wen krönten sie?
38. Was tat Hans demütig mit seinem Kranz?
39. Was flüsterte er der Maria zu?
40. Wann wurden Hans und Maili getraut?
41. Was hatte die dankbare Stadt für sein Werk ausbezahlt?
42. Was ließ der Gemeinderat dem Künstler ausrichten?
43. (Seite 39) Was hatte Vater Ruppacher vor den „brotlosen Künsten" seines Schwiegersohnes bekommen?
44. Wessen Geschichte ist dies?
45. Was verstummte noch in derselben Nacht?

VOCABULARY

The words occurring in the standard list of the Chicago Modern Language Teachers are marked with an asterisk. The preterit indicative and past participle of the strong and irregular verbs are indicated. Separable verbs are hyphenated. The plural of feminine nouns and the genitive singular and nominative plural of masculine and neuter nouns are indicated.

A

*ab, off, away.
*der A'bend, –s, –e, evening.
das A'bendessen, –s, —, supper.
a'bends, in the evening, evenings.
der A'bendsegen, –s, —, evening blessing, evening prayer.
a'benteuerlich, adventurous, wild.
*a'ber, but, however.
ab'=gehen, ging, gegangen, to depart, go away.
ab'=heben, o, o, to lift off; sich —, stand out, contrast.
ab'helfen, a, o, to help, remedy.
ab'=konterfeien, to copy, portray.
ab'=nehmen, nahm, genommen, to take off.
ab'=pflücken, to pick off.
ab'=reisen, to depart, go away.
ab'=schicken, to send away.
der Ab'schied, –s, –e, parting.
der Ab'schiedsgruß, –es, =e, farewell, greeting.
der Ab'schiedsschmerz, –es, –en, farewell grief, pain at parting.

ab'=schließen, o, o, to close up, lock up.
ab'=warten, to await the end of, wait for, wait out.
ab'=wechseln, to alternate.
ab'=weisen, ie, ie, to dismiss, turn away.
ab'=ziehen, zog, gezogen, to draw away, pull off; (intr.), to withdraw, depart.
ach, oh, alas.
die Ach'sel, (pron. Af'sel), –n, shoulder.
acht, eight.
der Af'fe, –n, –n, ape, monkey.
ah, ah.
aha', aha, ha.
ah'nen, to suspect; (impers.), have a presentiment, foreboding.
ähn'lich, similar, like.
die Akkord'summe, –n, stipulated sum, contract price.
*all, all.
alla'bendlich, every evening.
al'ledem, all that.
*allein', alone; but.
allerse'ligst, most blessed.

77

all'gemein, general.

das Al'mofen, –s, —, alms.

das Al'penkloster, –s, —, Alpine monastery.

*als, than; except; — ob, — wenn, as if.

*al'fo, so, therefore, accordingly.

*alt, comp. ~er, sup. ~eſt, old.

der Altar', –s, ~e, altar.

al'tersgrau, gray with age, venerable.

al'tertümlich, old-fashioned, antique.

altherkömmlich, traditional, customary.

das Amt, –es, ~er, office, service, mass.

*an, at, by, near, on; to, up to, towards, upon, of.

an'=bellen, to bark at.

an'=brechen, a, o, to break, dawn.

die An'dacht, worship, devotion.

an'dächtig, devout.

*an'der, other, different, second, next.

an'ders, otherwise.

an'=donnern, to thunder at.

aneinan'der, against one another, together.

die An'fertigung, –en, making, construction.

an'=flehen, to implore.

an'=geben, a, e, to give.

an'genehm, pleasant.

an'gesehen, respected.

das An'gesicht, –s, –er, countenance, face; von — zu —, face to face.

ängſt'lich, fearful.

angſt'voll, full of anxiety, distress.

an'=haben, hatte, gehabt, to have on.

an'=halten, ie, a, to detain; (intr.), stop.

*der An'hang, –s, ~e, appendix, adherents, following.

die An'hänglichkeit, attachment, affection.

die An'höhe, –n, height, elevation.

an'=knurren, to growl at.

an'=künden, to announce.

die An'kunft, ~e, arrival.

an'=legen, to lay against, establish, invest.

das An'liegen, –s, —, concern, desire, wish.

die An'merkung, –en, note, remark.

an'=prallen, to strike *or* dash against.

die An'regung, –en, incitement, incentive, stimulation.

an'=rühren, to touch.

an'=schaffen, to procure.

an'=schauen, to look at.

an'=schlagen, u, a, to strike at, strike against; (intr.), toll.

an'=schließen, o, o, to join on, attach; sich —, to cling, to be attached.

an'=schwätzen, to talk at, address; sich —, ingratiate oneself by talking, talk oneself into favor.

an'=schwellen, to swell, cause to swell.

an'=sehen, a, e, to look at.

das An'sehen, –s, —, looks, authority, dignity.

die An'sicht, –en, view, opinion.

der An'spruch, –s, ~e, claim, demand; in — nehmen, to make demands upon.

der An'stand, –es, decency, propriety, dignity.

an'=steigen, ie, ie, to ascend, climb, rise.
an'=stoßen, ie, o, to nudge, touch, push against.
das An'suchen, –s, —, petition, request.
das Ant'litz, –es, –e, face, countenance.
an'=tun, tat, getan, to dress, attire, put on; do to, do, cast a spell over.
*die Ant'wort, –en, answer.
*ant'worten, answer, reply.
an'=vertrauen, intrust, confide.
die An'weisung, –en, instruction, direction.
an'wesend, present.
*an'=ziehen, zog, gezogen, to put on, draw, attract.
die Arabes'ke, –n, arabesque.
*die Arbeit, –en, work.
*ar'beiten, to work, toil.
das Är'gernis, –ses, –se, vexation, offense.
*arm, comp. ⸚er, sup. ⸚st, poor.
*der Arm, –es, –e, arm.
*die Art, –en, kind, sort, manner, way.
der Arzt, –es, ⸚e, physician.
die A'sche, ashes.
der Ast, –es, ⸚e, bough.
a'temlos, breathless.
*auch, also, too; — nicht, neither; wenn —, even if, although; wo — wherever.
*auf, on, upon, at, to; open, up; — drei Tage, for three days.
sich auf'=bäumen, to rise up, rear up, start up in anger.
auf'=blicken, to glance up.
auf'=blitzen, to flash up.

auf'=blühen, to blossom forth, bloom out.
der Auf'enthalt, –es, –e, stay, abode, residence.
auf'=fahren, u, a, to start up, burst out (in anger).
auf'=führen, to erect, put up.
*auf'=gehen, ging, gegangen, to rise, go up, spring up, open.
auf'=glimmen, o, o, to glimmer, flash up.
*auf'=heben, o, o, to pick up, set aside, save up; do away with; raise.
*auf'=hören, to cease, stop.
auf'=lachen, to burst out laughing.
auf'=leben, to come back to life, revive.
auf'=leuchten, to flash up, shine forth.
auf'=lodern, to blaze up.
*auf'=machen, to open.
die Auf'merksamkeit, –en, attention.
auf'=nehmen, nahm, genommen, to receive, take in, absorb.
auf'=passen, to watch, give heed, look out.
auf'=raffen, to snatch up; sich —, to rouse up, gather oneself together.
auf'=ragen, to tower up, loom up, project.
die Auf'regung, –en, excitement, stir.
auf'=richten, to erect, raise up.
auf'=schauen, to look up.
auf'=schießen, o, o, to shoot up, grow up.
auf'=schlagen, u, a, to raise, lift up; eine Lache —, burst into laughter.

auf'=schrecken, to start up, arouse, frighten.

auf'=schwanken, to wave up, wave upwards.

auf'=sehen, a, e, to look up.

das Auf'sehen, –s, sensation.

auf'=springen, a, u, to spring up, burst open.

*auf'=stehen, stand, gestanden, to arise, get up.

auf'=steigen, ie, ie, to ascend, rise.

auf'=stellen, to set up, put in position.

auf'=streben, to strive upwards, aspire.

auf'=suchen, to seek out, look up.

auf'=tauchen, to emerge, appear.

auf'=wachsen, u, a, to grow up.

auf'=wallen, to surge up, boil up.

der Auf'zug, –es, ⸺e, procession.

*das Au'ge, –s, –n, eye.

*der Au'genblick, –s, –e, moment.

*aus, out of, from, outside of; out, over, past.

aus'=bezahlen, to pay out.

die Aus'bildung, –en, development, training, education.

aus'=bleiben, ie, ie, to remain away, fail to come.

aus'=brechen, a, o, to burst forth, break out.

aus'=denken, dachte, gedacht, to think out, conceive.

*der Aus'druck, –s, ⸺e, expression.

aus'=führen, to carry out, execute.

*die Aus'führung, –en, execution.

aus'=gehen, ging, gegangen, to go out.

aus'gestorben, deathlike, lifeless.

aus'gezeichnet, excellent.

aus'=halten, ie, a, to persevere, hold out.

der Aus'läufer, –s, ⸺, runner, spur, foothill.

aus'=läuten, to cease ringing.

aus'=lernen, to learn thoroughly, serve an apprenticeship.

aus'=merzen, to reject, cast out.

die Aus'nahme, –n, exception.

aus'=putzen, to adorn, deck, dress up.

aus'=rasten, to rest thoroughly.

der Aus'reißer, –s, ⸺, deserter, runaway.

aus'=richten, to perform, arrange, defray the expenses of.

der Aus'ruf, –s, –e, exclamation.

aus'=rufen, ie, u, to call out.

aus'=ruhen, to rest thoroughly.

aus'=schauen, to gaze forth, look out.

die Aus'schreibung, –en, proclamation, circular.

*aus'=sehen, a, e, to look, appear.

au'ßen, outside; nach ⸺, on the outside, outwardly.

au'ßer, except, beside.

*au'ßerdem, besides, moreover.

äu'ßerlich, outward, external.

aus'=sterben, a, o, die out.

aus'wärtig, foreign, external, outside, from abroad.

der Autogra'phensammler, –s, ⸺, collector of autographs.

B

ba'disch, from the court of Baden.

die Bahn, –en, track, way.

*bald, soon, almost.

bang(e), anxious, fearful.

*die Bank, ⸗e, bench.
der Bann, -es, ban, excommunication, magic spell.
der Bä'renführer, -s, —, bear-leader, bear-tamer.
der Bart, -es, ⸗e, beard.
die Ba'se, -n, cousin, neighbor, female relative in general.
der Bau'er, -s, -n, peasant.
der Bau'ernkrieg, -s, -e, peasant war.
der Baum, -es, ⸗e, tree.
das Bäum'chen, -s, —, little tree, bush.
sich bäu'men, to rear (as horses).
be'ben, to tremble.
sich bedan'ken, to thank.
die Bedin'gung, -en, condition.
bedrän'gen, to distress, oppress.
bedro'hen, to threaten.
been'den, to end, conclude.
*befeh'len, a, o, to order, command.
befe'stigen, to fortify, fasten.
befin'den, a, u, to find, deem; sich —, to be.
begeh'ren, to desire.
begei'stern, to inspire, fill with enthusiasm.
die Begei'sterung, inspiration.
begie'ßen, o, o, to water.
*begin'nen, a, o, to begin.
der Beglei'ter, -s, —, companion.
die Beglei'terin, -nen, companion.
die Beglei'tung, -en, escort, companion.
begra'ben, u, a, to bury.
begrei'fen, begriff, begriffen, to comprehend, understand.
beha'gen, to please.
beher'bergen, to shelter, harbor.
behut'sam, cautious, careful.

*bei, by, with, at the house of, at.
*bei'de, both, two.
beieinan'der, see bei and einander.
der Bei'fall, -s, applause, approval.
beinah'e, almost; — nicht, hardly.
beir'ren, to confuse, mislead.
der Bei'stand, -es, aid, assistance.
bei'=stimmen, to agree with.
*das Bei'spiel, -es, -e, example.
*bekannt', known, acquainted.
*bekom'men, bekam, bekommen, to get, obtain, gain.
belau'schen, to eavesdrop, overhear.
bele'ben, to fill with life, revive, invigorate.
belei'digen, to insult, hurt.
belie'ben, to like; (impers.), please, suit.
bemer'ken, to observe, remark.
bemü'hen, to trouble; sich —, endeavor, make an effort.
beo'bachten, to observe, watch.
*der Berg, -s, -e, hill, mountain.
berüch'tigt, notorious.
berü'cken, to ensnare, beguile.
der Beruf', -s, -e, calling, profession.
*berühmt', noted.
berüh'ren, to touch.
beschat'ten, to shadow, cloud.
der Bescheid', -s, -e, information, decision, answer.
beschei'den, modest.
beschlie'ßen, o, o, to resolve, decide.
*beschrei'ben, ie, ie, to describe.
der Beschüt'zer, -s, —, protector.
besie'gen, to conquer.
sich besin'nen, to reflect, deliberate.
die Besin'nung, consciousness, senses; reflection.

beſon'der, especial, particular; remarkable.
*beſon'ders, especially.
beſorgt', concerned.
beſpü'len, to wash ashore.
beſ'ſer, better.
beſt, best.
die Beſtel'lung, –en, order, commission.
*der Beſuch', –es, –e, visit, attendance, company, visitors.
*beſu'chen, to visit, attend.
be'ten, to pray.
betrach'ten, to observe, scrutinize.
betref'fen, betraf, betroffen, to concern, refer to.
betref'fend, concerning, referring to, in question.
betrof'fen, disconcerted.
betrü'ben, to trouble, disturb.
der Bet'ſchemel, –s, —, praying stool.
der Bet'teljunge, –n, –n, beggar-lad.
der Bett'ler, –s, —, beggar.
beu'gen, to bend; ſich —, bow, bend.
der Beu'tel, –s, —, small sack, purse.
das Beu'telchen, –s, —, little purse.
der Beu'telſchneider, –s, —, cutpurse, pickpocket.
*bewegen, (wk.), to move, set in motion; (st.), o, o, to induce, persuade.
beweg'lich, movable, flexible, full of motion.
die Bewe'gung, –en, motion, emotion, commotion.
bewer'ben, a, o, to compete, sue for.
der Bewer'ber, –s, —, suitor, competitor.

bewoh'nen, to inhabit, live.
bewun'dern, to admire.
die Bewun'derung, admiration.
bewußt'los, unconscious.
bezah'len, to pay.
bezau'bert, enchanted.
bezie'hen, bezog, bezogen, to enter, occupy a lodging-house.
bezwin'gen, a, u, to overcome, subdue.
bie'gen, o, o, to bend.
*das Bild, –es, –er, picture, image.
*bil'den, to educate, train, form.
der Bild'hauer, –s, —, sculptor.
der Bild'ſchnitzer, –s, —, carver of images.
die Bil'dung, –en, formation, education, culture.
das Bild'werk, –es, –e, carving, sculpture.
*bil'lig, cheap, reasonable.
*bin'den, a, u, to bind, tie.
*bis, as far as; until; — an, — zu, up to; until.
*bisher', up to this time, heretofore.
*bit'ten, bat, gebeten, to request, ask, plead.
bit'terlich, bitterly.
*blau, blue.
blau'gewölbt, blue-arched, blue-vaulted.
bläu'lich, bluish.
das Blei, –s, –e, lead.
*blei'ben, ie, ie, to remain, stay; ſtehen —, to stop, stand still.
bleich, pale.
blei'chen, i, i, to bleach; grow pale, lose color.
blen'den, to dazzle, blind.
*der Blick, –s, –e, glance, gaze.

bli'cken, to glance, look.

der Blitz, –es, –e, flash, flash of lightening.

*blü'hen, to blossom, bloom.

*die Blu'me, –n, flower.

die Blu'menranke, –n, shoot of flowers.

*das Blut, –es, blood.

*der Bo'den, –s, ⸺, ground, soil.

*der Bo'gen, –s, ⸺ and ⸺, bow, arch, curve.

das Bombardement' (as in French), –s, bombardment.

die Bom'be, –n, bomb, shell.

die Bot'schaft, –en, message.

der Brand, –es, ⸺e, burning, conflagration.

die Bran'dung, –en, surf, surge, waves.

der Brauch, –es, ⸺e, usage, custom.

*brau'chen, to need, use.

*braun, brown.

brau'sen, to roar, rush, (of wind or water).

die Braut, ⸺e, fiancée, betrothed girl.

der Bräu'tigam, –s, –e, fiancé, betrothed.

bräut'lich, bridal, nuptial.

das Braut'paar, –s, –e, betrothed couple, bridal couple.

*bre'chen, a, o, to break.

Brei'sach, Breisach, a city on the Upper Rhine in Baden.

Brei'sacher, of Breisach, pertaining to Breisach.

der Brei'sacher, –s, ⸺, a resident of Breisach.

der or das Breis'gau, a district in Southern Baden.

*breit, broad, wide.

*bren'nen, brannte, gebrannt, to burn, be on fire; es brennt, there is a fire.

*der Brief, –es, –e, letter.

*brin'gen, brachte, gebracht, to bring, take, carry.

*das Brot, –s, –e, bread; nach ⸺ gehen, earn one's living, be practical.

brot'los, breadless; unprofitable, useless.

die Brust, ⸺e, breast.

der Bu'be, –n, –n, boy, lad; fellow, knave.

der Buch'stabe, –ns, –n, or Buchstaben, –s, ⸺, letter of the alphabet.

der Bück'ling, –s, –e, bow, courtesy.

die Büh'ne, –n, stage.

das Büh'nenstück, –es, –e, play.

die Burg, –en, castle, fortress.

der Bür'ger, –s, ⸺, citizen.

der Bür'germeister, –s, ⸺, burgomaster, mayor.

das Bür'gerskind, –es, –er, citizen's child.

die Bürg'schaft, –en, guaranty, responsibility, bail; ⸺ übernehmen, assume responsibility.

der Bursch, –en, –en, or Bur'sche, –n, –n, fellow.

der Büt'tel, –s, ⸺, constable, officer.

C

der Chor, –s, ⸺e, chorus, choir.

das Chor, –s, ⸺e, choir, chancel.

der Chri'stenmensch, –en, –en, Christian mortal.

der Christus, Christi, Christ, crucifix.

D

*ba, there, then, here; so, therefore, since (causal).

*das Dach, -es, ⁼er, roof.

*daburch', by this means, through that.

*daher', therefore, hence.

*dahin', there, thither.

dahin=schreiten, schritt, geschritten, to stride along.

dahin=zielen, to aim in that direction; dahinzielend, of that nature.

da'malig, of that time.

da'mals, then, in those days.

*damit', therewith; so that, in order that.

die Däm'merung, -en, twilight.

*dank'bar, grateful.

die Dank'barkeit, gratitude.

*dan'ken, to thank.

*dann, then.

dan'nen, thence, away; von —, thence.

*daran', dran, thereon, on that, on it.

*darauf', drauf, thereupon, afterwards, on that.

*darin', drin, darin'nen, drin'nen, within, inside, in it.

darnach', danach', afterwards, thereafter, accordingly, after, towards it or them.

dar'=stellen, to represent, depict.

darü'ber, over it, across, beyond, above, about it or them, concerning it or them.

*darum', drum, therefore; around, about, for it or them.

*daß, that.

*dau'ern, to last, endure.

*dazu', thereto, to it or them, besides; noch —, into the bargain.

*die De'cke, -n, cover, roof.

dein, thy, thine, your.

deklamie'ren, to recite, declaim.

die De'mut, humility.

de'mütig, humbly.

*den'ken, dachte, gedacht, to think, imagine.

die Denk'art, -en, mode of thinking.

*denn, then, anyway.

*denn, for; than (after comp. or ander=).

die Deputation', -en, deputation, delegation.

der, die, das, the; this, that, he, she, it; who, which, that.

derb, firm, severe, rough, uncouth.

derje'nige, diejenige, dasjenige, that, that one, he.

der'lei, of that sort, such.

*derſel'be, dieſelbe, dasſelbe, the same, he, she, it, that.

deu'ten, to interpret; (intr.), point, indicate.

*deut'lich, plain, clear.

*deutſch, German.

*dicht, close, thick, dense.

*der Dich'ter, -s, —, poet.

dich'teriſch, poetic.

der Dieb, -es, -e, thief.

*die'nen, to serve.

*die'ser, diese, dieses (or dies), this, this one, the latter.

dies'mal, this time.

*das Ding, -es, -er, thing, "slip."

*doch, though, however, after all.

der Don'ner, -s, —, thunder.

*don'nern, to thunder.

das Dop'pelleben, -s, —, double life.
dop'peln, to double.
der Dorn, -es, -er, thorn.
dor'nig, thorny.
*dort, there, yonder; da und —, here and there.
dorthin', thither, there, to that place.
der Dra'che, -n, -n, dragon.
das Dra'ma, -s, Dramen, drama.
drama'tisch, dramatic.
dramatisiert', dramatized.
*dran, see daran.
drängen, to press, crowd, throng.
*drau'ßen, outside, abroad.
drei, three.
*drin, see darin.
brin'gen, a, u, to penetrate, press, come.
brin'gend, pressing, urgent.
*drin'nen, see darinnen.
dritt, third.
dro'ben, up there, above.
dro'hen, to threaten; (intr.), threaten, be impending.
dröh'nen, to reverberate, resound.
drü'ben, over there, yonder; von —, from the other side.
*drü'cken, to press.
drum, see darum.
du, thou, you.
der Duft', -es, -e, fragrance, haze.
dul'den, to endure, suffer, tolerate.
*dumm, stupid.
*dun'kel, dark.
die Dun'kelheit, darkness.
dun'keln, to grow dark.
dün'ken, deuchte, gedeucht; (also reg., impers.), seem, appear; methinks.

*durch, through.
durch'-bringen, brachte, gebracht, to bring through, earn a livlihood for, support.
durchzie'hen, durchzog', durchzo'gen, to traverse, cross, fill, pervade.
*dür'fen, durfte, gedurft, to be allowed, be permitted, be able, may, dare.
dü'ster, gloomy.

E

*e'ben, even, level, smooth; just, just so.
das E'benbild, -es, -er, image, likeness.
ebenso, just as.
echt, genuine, real.
*e'del, noble, of noble birth.
effekt'voll, effective.
*e'he, before.
e'her, sooner, rather.
e'hern, bronze, brazen, metal.
das E'heweib, -s, -er, wife.
ehr'bar, honorable; respectable, decent.
*die Eh're, -n, honor; zu Ehren bringen, do honor or credit to.
die Ehr'furcht, reverence, awe.
ehr'lich, honorable, honest.
ehr'sam, honorable, honest.
ehr'würdig, venerable.
ei, ah.
der Eid, -s, -e, oath, vow.
der Ei'fer, -s, zeal, eagerness.
*ei'gen, own, peculiar.
die Ei'le, haste.
*ei'len, to hasten.
ein, one; a, an; in eins, into one, together.

ein (*adv. or sep. pref.*), in, into.
*einan'der, one another.
der Ein'druck, –s, ⸗e, impression.
*ein'fach, simple.
die Ein'falt, simplicity.
die Ein'friedigungsmauer, –n, parapet.
ein'=fügen, to fit in.
ein'=gehen, ging, gegangen, to go in, enter.
ein'=hauchen, to breathe into, inspire.
einher', along.
einher'=schreiten, schritt, geschritten, to stride along.
*ei'nig, united; some, a few.
ein'=lassen, ie, a, to admit, let in; sich —, enter into dealings with.
ein'=laufen, ie, au, to arrive, run in.
die Ein'leitung, –en, introduction.
ein'=leuchten, to be obvious, clear.
*ein'mal, once, one time; auf —, all at once; einmal', just, only, sometime; nicht einmal', not even once; noch einmal', once more.
ein'=rosten, to rust in, become rusty.
*ein'sam, lonely.
ein'=schlagen, u, a, to drive *or* strike in, shake hands; (*intr.*), fall *or* strike into.
ein'=sehen, a, e, to see, recognize, realize.
ein'=senden, sandte *or* sendete, gesandt *or* gesendet, to send in, submit.
ein'sichtsvoll, judicious, intelligent.
der Ein'siedler, –s, —, hermit.
*einst, once, sometime.
ein'stimmig, unanimous.
einst'weilen, meanwhile.

ein'=treten, a, e, to go into, enter, occur.
ein'=wandern, to immigrate.
ein'=weihen, to consecrate, dedicate.
ein'=wenden, wandte *or* wendete, gewandt *or* gewendet, to interpose as an objection, object, allege against.
der Ein'wohner, –s, —, inhabitant.
die Ein'wohnerschaft, population.
die Ein'zahl, singular.
*ein'zeln, separate, individual.
*ein'zig, only, single.
das E'lend, misery, wretchedness.
der *or* das El'saß, Alsace.
El'sässer, Alsatian.
el'terlich, parental.
*empfan'gen, i, a, to receive.
empfeh'len, a, o, to recommend.
empor', up, upwards.
empor'=deuten, to point up.
empor'=halten, ie, a, to hold up, raise.
empor'=schließen, o, o, to shoot forth.
empor'=schnellen, to spring *or* fly upwards.
die Empö'rung, –en, insurrection, revolt, anger.
*das En'de, –s, –n, end; am —, finally; the truth probably is.
end'gültig, final.
*end'lich, final; at last.
der End'reim, –s, –e, rhyme, final rhyme.
die En'dung, –en, ending.
*eng, en'ge, narrow.
die En'gelschar, –en, angelic host.
eng'herzig, narrow.
der En'kel, –s, —, grandson.

entbren'nen, entbrannte, entbrannt, to take fire, burst into flames.
enter'ben, to disinherit.
*entfernt', distant.
*entge'gen, towards, against, opposite.
entge'gen=breiten, to stretch or extend towards.
entge'gen=eilen, to hasten towards.
entge'gen=laufen, ie, au, to run towards, run to meet.
entge'gen=treten, a, e, to step towards, go towards.
entgeg'nen, to rejoin, reply.
*enthal'ten, ie, a, to contain; sich —, refrain from.
entkom'men, entkam, entkommen, to escape.
entneh'men, entnahm, entnommen, to take from, infer from, obtain from.
entste'hen, entstand, entstanden, to arise, originate.
die Entste'hung, —en, origin.
*entwe'der ... oder, either ... or.
der Entwurf', —es, ⸗e, sketch, plan, outline.
entzü'cken, to delight, entrance.
die E'pik, epic poetry.
er, he.
erbau'en, to build, construct, edify.
erbet'teln, to get by begging.
erbit'tern, to embitter, make angry.
erblei'chen, to turn pale.
erblin'det, darkened, closed by blinds, shuttered, blinded.
erblü'hen, to blossom or bloom forth.
*die Er'de, —n, earth.
das Erd'reich, —s, earth, dirt.

das Ereig'nis, —ses, —se, event.
*der Erfolg', —es, —e, success, effect.
erfolg'reich, successful.
erfreu'en, delight, gladden; sich —, be glad, rejoice.
erfül'len, to fulfill.
die Erfül'lung, —en, fulfillment.
ergän'zen, to supplement.
erge'hen, erging, ergangen, to go forth, fare, happen to some one, be issued, (*impers.*).
ergie'ßen, o, o, to pour forth, discharge.
erha'ben, sublime, exalted.
erhal'ten, ie, a, to receive, get.
erhe'ben, o, o, to lift up, raise; sich —, rise, exalt.
die Erhö'hung, —en, elevation.
erho'len, to recover.
die Erho'lung, —en, recreation, recovery.
*erin'nern, to remind; sich —, recall, remember.
die Erin'nerung, —en, remembrance, reminiscence.
erken'nen, erkannte, erkannt, to recognize.
das Er'kerstübchen, —s, —, room with oriel or dormer window, attic room.
*erklä'ren, to make clear, declare, explain.
*erlau'ben, to permit.
erle'ben, to experience, meet with, live to see.
erleuch'ten, to illuminate, enlighten.
erlö'sen, to release, redeem, free.
der Erlö'ser, —s, —, deliverer; Saviour, Redeemer.
ernäh'ren, to nourish, support.

*ernſt, earnest, serious.
der Ernſt, −es, earnestness, seriousness.
ernſt'haft, earnest, serious.
erpreſ'ſen, to press out, extort.
errö'ten, to blush, become red.
erſchal'len, o, o, to resound, re-echo, ring out.
*erſchei'nen, ie, ie, to appear.
erſchla'gen, u, a, to slay, kill.
erſeh'nen, to yearn, long for, desire.
erſin'nen, a, o, to think out, conceive.
erſpä'hen, to catch sight of, espy.
*erſt, first; not until, only; now for the first time, just, only, all the more.
*erſtau'nen, to be surprised, astonished.
er'ſtemal, see erſt and mal.
er'ſter, former.
ertö'nen, to resound.
*erwa'chen, to awake, be awakened, awaken.
erwei'chen, to soften; ſich —, soften, become softened.
erwei'tern, to increase, enlarge, amplify.
*erzäh'len, to tell, narrate.
die Erzäh'lung, −en, tale, story.
der Erz'herzog, −s, ⸚e, grand duke, archduke.
erzie'hen, erzog, erzogen, to train, educate, bring up.
die Erzie'hung, education, bringing up.
es, it; they; (when placed before the verb, and anticipating the subject), there.
*et'wa, about, perhaps.

*et'was, somewhat, anything; ſo —, such a thing.
euer, your.

F

der Fa'den, −s, ⸚en, thread, filament.
*fah'ren, u, a, to go, travel, start, move, drive.
der Fall, −es, ⸚e, case.
*fal'len, fiel, gefallen, to fall.
fal'ten, to fold.
*die Fami'lie, (pronounce Fami'=li=e), family.
*die Far'be, −n, color.
*faſ'ſen, to seize, grasp, frame (window, picture).
*faſt, almost.
*faul, foul, corrupt; lazy, idle.
der Fe'bruartag, −s, −e, February day.
*feh'len, to fail, lack, ail, be wanting, missing.
der Fei'erabend, −s, −e, evening rest (after the day's work).
fei'erlich, solemn, impressive.
*der Feind, −es, −e, enemy.
feind'lich, hostile.
fein'gebogen, finely curved.
der Fels or Felſen, −ens, −en, rock, cliff.
*das Fen'ſter, −s, —, window.
das Fen'ſterchen, −s, —, little window.
der Fen'ſterladen, −s, —, window-shutter.
*fer'ne, far, distant.
*die Fer'ne, −n, distance.
feſ'ſeln, to fetter, hold fast.
*feſt, fast, firm, solid, tight.

VOCABULARY

feſt'=halten, ie, a, to hold fast.
feucht, damp, moist.
*das Feu'er, —s, —, fire.
der Feu'erherd, —s, —e, hearth, fireplace, fiery hearth, bed of fire.
die Figur', —en, figure.
das Figür'chen, —s, —, little image.
*fin'den, a, u, to find; ſich —, be found, be.
*der Fin'ger, —s, —, finger.
fin'ſter, dark, gloomy.
das Firmament', —s, —e, firmament, sky.
der Fit'tich, —s, —e, wing, pinion.
flach, flat, level, without relief.
die Flam'me, —n, flame, blaze.
flam'men, to flame, blaze.
flat'tern, to flutter.
flech'ten, o, o, to weave, braid.
der Fleck, —s, —e, spot, stain, place.
*flei'ßig, industrious, diligent.
der Flie'derbuſch, —es, ⸚e, lilac, elderbush.
*flie'gen, o, o, to fly.
*flie'ßen, o, o, to flow.
der Fluch, —es, ⸚e, curse.
die Flucht, flight.
flüch'ten, to flee; (tr.), save by flight; ſich —, flee, escape.
flü'ſtern, to whisper.
die Flut, —en, flood, torrent, water.
*fol'gen, to follow.
förm'lich, really, actually (colloquial).
*fort, forth, away; — und —, continually.
das Fort, —s, —s, fort, fortress.
fort'=bringen, brachte, gebracht, to carry away, remove.
fort'=eilen, to hasten away.

fort'=fahren, u, a, to continue, go on.
fort'=laufen, ie, au, to run away.
fort'=machen, to start, clear out, be off.
fort'=reißen, i, i, to tear away, sweep away.
der Fort'ſchritt, —es, —e, advance, progress.
die Fort'ſetzung, —en, continuation.
fort'während, continual.
fort'=ziehen, zog, gezogen, to draw or pull away; (intr.), go forth, march away.
*die Fra'ge, —n, question.
*fra'gen, to inquire, ask.
*das Frank'reich, France.
der Franzo'ſe, —n, —n, Frenchman.
*franzö'ſiſch, French.
die Frau, —en, woman, wife, Mrs.
frech, imprudent, insolent.
Frei'burg, Freiburg, city in Baden on the Rhine.
frei'en, to marry; (intr.), woo, sue for the hand.
die Frei'heit, freedom, liberty.
frei'lich, to be sure, certainly.
*fremd, strange, foreign.
*der Frem'de, —n, —n, stranger.
*die Freu'de, —n, joy, delight.
das Freu'denfeuer, —s, —, joyous fire, joyous light.
freu'dig, joyous.
*freu'en, to delight; ſich —, be pleased, rejoice.
*der Freund, —es, —e, friend.
die Freun'din, —nen, friend.
*freund'lich, friendly, kind.
freundnach'barlich, neighborly, sociably.
die Freund'ſchaft, —en, friendship.

*der Frie′de *or* Frieden, –ns, –n, peace.
fried′lich, peaceful.
fried′selig, peaceable.
*frisch, fresh, new.
*froh, joyous, happy, glad.
*fröh′lich, joyous, happy, glad.
frohlo′cken, to rejoice, exult.
fromm, devout, gentle, pious.
frö′steln, to shiver.
*die Frucht, ⸗e, fruit.
der Frucht′baum, –es, ⸗e, fruit tree.
*frü′he, early.
*die Frü′he, morning; in aller —, early in the morning.
der Früh′ling, –s, –e, spring.
die Früh′lingsahnung, –en, suggestion *or* premonition of spring.
das Früh′lingskeimen, –s, —, germination *or* budding of spring.
fü′gen, to join; sich —, submit, conform.
*füh′len, to feel.
*füh′ren, to lead, guide.
die Füh′rung, –en, guidance.
fünft–, fifth.
der Fun′kenregen, –s, —, shower of sparks, fiery rain.
*für, for; Tag — Tag, day after day; — und —, on and on.
furcht′bar, fearful.
die Für′sprache, –n, intercession, mediation.
das Für′wort, –es, ⸗er, pronoun.
*der Fuß, –es, ⸗e, foot.
das Fuß′gestell, –es, –e, foot rest, pedestal.

G

*der Gang, –es, ⸗e, gait.
*ganz, whole, entire, all; quite.
*gar, quite, altogether; — nicht, not at all; — nichts, nothing at all; sogar, even.
*der Gar′ten, –s, ⸗, garden.
die Gas′se, –n, alley.
gast′freundlich, hospitable.
das Gast′spiel, –s, –e, starring engagement.
der Gat′te, –n, –n, husband.
die Gaukelei′, –en, jugglery, illusion, hocus-pocus.
*das Gebäu′de, –s, —, building.
*ge′ben, a, e, to give; es gibt, there is, there are.
das Gebet′, –s, –e, prayer.
gebo′ren, born.
gebrau′chen, to use.
der Gedan′ke, –ns, –n, thought, idea.
die Gedan′kenbiegsamkeit, flexibility of thought.
der Gedan′kenfluß, –es, flow of thought.
die Gedan′kenschnelle, quickness of thought.
gedei′hen, ie, ie, to thrive, prosper.
das Gedrän′ge, –s, —, throng, crowd.
die Geduld′, patience.
gedul′dig, patient.
gefan′gen, taken captive.
das Gefühl′, –s, –e, feeling, emotion.
*ge′gen, against, towards; in comparison with.
*gegenü′ber, (*with dat., the object precedes*), opposite, facing.
gegenü′ber=stehen, stand, gestanden, to stand opposite.
geha′ben, to behave; fare; gehab′ dich wohl, farewell.

geheim'nisvoll, mysterious.
der Geheim'schreiber, −s, —, private secretary.
*ge'hen, ging, gegangen, to go, walk.
das Geheul', −s, howl.
das Gehör', −s, hearing, audience.
*gehö'ren, to belong to, appertain.
die Gei'sterhand, ⸚e, spectre hand.
geist'lich, spiritual, ecclesiastical.
der Geist'liche, −n, −n, clergyman.
geist'reich, intellectual.
gelas'sen, composed, calm.
*das Geld, −es, −er, money.
der Geld'beutel, −es, —, money purse, purse of money.
der Gel'deswert, −es, money's worth, equivalent of money.
*die Gele'genheit, −en, occasion.
das Gelei'se, −s, —, track, rut.
der Gelieb'te, −n, −n, lover, loved one.
gel'len, to yell, sound shrilly.
gelo'ben, to promise, vow.
gelt (= nicht wahr? — South German), is it not so?
gemach', gentle, easy, comfortable.
gemah'nen, to remind.
die Gemein'de, −n, community, parish.
der Gemein'derat, −s, ⸚e, common council.
das Gemüt', −es, −er, spirit, soul, mind, heart, nature.
*genau', exact.
geneh'migen, to approve, accept.
genie'ßen, o, o, to enjoy.
der Ge'nius, −ien, genius.
*genug', enough, plenty.
*gera'de, straight, exact, even; just, precisely.

die Gering'schätzung, undervaluation, contempt.
*gern(e), willingly, galdly; — ausruhen, to like to rest; — haben, to like, be fond of.
der Gesalb'te, −n, −n, the anointed one.
das Gesang'buch, −es, ⸚er, songbook, hymn book.
*gesche'hen, a, e, to happen, be done, take place.
*die Geschich'te, −n, history, story, affair.
geschnit'zelt, carved.
das Geschütz', −es, −e, cannon, artillery.
die Geschwi'ster, (pl.), brothers and sisters.
das Geschwi'sterkind, −es, −er, cousin.
der Gesel'le, −en, −en, fellow, companion, journeyman.
die Gesell'schaft, −en, company, society, party.
*das Gesicht', −es, −e, sight; vision, apparition; (pl. −er), face, countenance.
gesi'chert, secured, safe.
das Gesin'del, −s, —, rabble, pack.
die Gestalt', −en, form, figure.
gestal'ten, to form, shape; sich —, take shape, assume form.
das Gestirn', −es, −e, constellation.
gestreng', severe, august, reverend.
das Gesträp'p(e), −s, brush and brambles, undergrowth.
die Gesund'heit, health.
das Gewächs'haus, −es, ⸚er, greenhouse.
gewäh'ren, to give, allow, grant.

*die Gewalt', -en, force, violence, power.
gewal'tig, powerful, mighty.
das Gewand', -es, ⁻er, garment.
*gewiß', certain.
*gewöhn'lich, customary, ordinary, common.
das Gewöl'be, -s, —, vault, arch, vaulted room.
gie'belspitzig, with pointed gable.
*gie'ßen, o, o, to pour; water (=begießen).
der Gin'ster, -s, —, broom straw, furze.
*der Gip'fel, -s, —, summit, top, peak.
der Glanz, -es, splendor, brightness, luster, gleam.
der Glau'be or Glauben, -ns, faith, belief.
*glau'ben, to believe.
gläu'big, credulous; believing.
der Gläu'bige, believer, faithful.
*gleich, like; directly, immediately.
gleich'zeitig, simultaneous.
glei'ten, glitt, geglitten, to glide, slip, slide, pass.
glim'men, o, o, to glimmer.
die Glo'cke, -n, bell.
die Glo'rie (*pron.* Glo'ri=e), glory, splendor.
*das Glück, -es, good fortune, luck, happiness; zum —, luckily.
*glück'lich, happy.
glück'wünschen, to congratulate.
glü'hen, to glow.
die Glut, -en, glow, heat; ardor.
gnä'dig, gracious, merciful.
gol'den, golden.
der Gold'gulden, -s, —, florin, gold gulden.

gön'nen, to grant, not begrudge; (*with neg.*), begrudge.
go'tisch, Gothic.
*der Gott, -es, ⁻er, God.
der Got'tesblick, -es, -e, glance of a god, divine vision.
der Got'tesdienst, -es, -e, divine service.
das Got'teshaus, -es, ⁻er, sanctuary, church.
gött'lich, divine.
das Grab, -es, ⁻er, grave.
grau'blond, grayish-blond, gray blond.
greif'bar, tangible, seizable.
grei'fen, griff, gegriffen, to grip, seize, grasp, get hold of.
grell, shrill, sharp; glaring.
*die Gren'ze, -n, limit, boundary, frontier.
der Griff, -es, -e, grip, handle.
grob, *comp.* ⁻er, *sup.* ⁻st, coarse, rude.
*groß, *comp.* ⁻er, *sup.* ⁻ßt, great, large, big, grown-up, sublime.
*grün, green.
die Grup'pe, -n, group.
der Gruß, -es, ⁻e, greeting, compliments.
*gut, *comp.* besser, *sup.* best, good.
das Gut, -es, ⁻er, possession, property, estate.
das Gut'achten, -s, —, expert opinion, judgment (of a professional man).
gut'mütig, good-natured.

H

*ha'ben, hatte, gehabt, to have.
der Hä'her, -s, —, jay.

VOCABULARY

*halb, half.
*die Hälf'te, —n, half.
das Hallelu'ja, —s, —s, hallelujah.
halt, stop.
der Halt, —es, —e, hold, support.
*hal'ten, ie, a, to hold; sich —
 (with an), hold to, follow;
 Wort —, keep one's word; auf
 etwas —, care for, value.
die Hal'tung, —en, bearing.
häm'mern, to hammer.
der Ham'merschlag, —es, ⸺e, hammer stroke.
*die Hand, ⸺e, hand.
*der Han'del, —s, ⸺, affair, business,
 disturbance, broil.
die Hand'voll, handful.
das Hand'werk, —es, —e, trade.
*han'gen, i, a, to hang, be suspended, cling.
*hän'gen, to hang, suspend.
Hans, dim. of Johannes.
harm'los, harmless, innocent.
har'ren, to persevere, wait.
*hart, comp., ⸺er, sup. ⸺est, hard.
hart'näckig, stubborn.
hau'chen, to breathe.
*häu'fig, often, frequent.
*das Haupt, —es, ⸺er, head.
das Haupt'wort, —es, ⸺er, noun.
*das Haus, —es, ⸺er, house.
das Häus'chen, —s, —, little house,
 cottage.
das Haus'gerät', —es, —e, household,
 utensils, household furniture.
die Haus'hälterin, —nen, housekeeper.
die Haus'tür, —en, street door, outside door.
*he'ben, o, o, to lift, raise; sich —,
 arise.

der Heck'pfennig, —s, —e, hatch-penny, nest egg.
haf'ten, to fasten, stick.
hef'tig, violent, passionate, intense.
hei, ha, hi.
das Heil, —s, safety, salvation;
 im Jahre des Heils, in the year
 of grace.
*hei'lig, holy, sacred; der Heilige,
 saint.
*die Hei'mat, —en, home, native
 country.
heim'-führen, to lead home as
 wife, wed.
hei'misch, home like, native, local.
die Heim'kehr, return home.
*hei'raten, to marry.
*heiß, hot, warm, fervent.
*hei'ßen, ie, ei, to bid, call; (intr.),
 be called, be reported, signify,
 mean.
hei'ter, cheerful.
*der Held, —en, —en, hero.
*hel'fen, a, o, to help.
*hell, clear, bright.
der Hel'ler, —s, —, farthing, "copper."
das Hemd'chen, —s, —, little shirt.
*her, hither; about, in the vicinity; um ihn —, around him.
herab', down.
herab'-lächeln, to smile down.
herab'-lassen, ie, a, to let down;
 sich —, condescend.
herab'-rinnen, a, o, to run down.
heran', up, forward, on.
heran'-drängen, to press forward.
heran'-wachsen, u, a, to grow up.
heran'-ziehen, zog, gezogen, to attract; (intr.), draw near, approach.

herauf', up.

herauf'=dringen, a, u, to come up, press upwards.

herauf'=führen, to lead *or* bring up.

herauf'=schallen, to resound, ring along (in the direction of the speaker).

herauf'=steigen, ie, ie, to come up, climb up.

herauf'=wogen, to surge up, crowd up.

*****heraus'**, out, forth, out of it.

heraus'=bringen, brachte, gebracht, to bring out, get out.

heraus'=platzen, to burst out, blurt out.

heraus'=treten, a, e, to step out, come out.

heraus'=ziehen, zog, gezogen, to draw *or* pull out; (*intr.*), move out, depart.

der Herbst, –es, –e, autumn.

*****herein'**, in; come in.

herein'=bringen, brachte, gebracht, to bring in.

herein'=dringen, a, u, to come in, penetrate.

herein'=strömen, to stream in, flock in.

herein'=werfen, a, o, to throw in, cast in.

her'=führen, to lead hither (in this direction).

her'gelaufen, runaway, vagabond.

der Herr, –n, –en, gentleman, master, Mr.; the Lord.

her'renlos, vagabond, masterless, irresponsible.

der Herr'gott, –es, Lord God.

*****herr'lich**, glorious, splendid.

die Herr'lichkeit, –en, glory, splendor.

her'=stellen, to construct, produce.

herü'ber, across, over (this way).

herü'ber=bringen, brachte, gebracht, to bring over, bring hither.

herü'ber=strömen, to stream across (in this direction).

herü'ber=tönen, to ring across, sound across.

herü'ber=werfen, a, o, to throw across.

herü'ber=ziehen, zog, gezogen, to pull across; (*intr.*), pass *or* move this way.

*****herum'**, about, around.

herum'=tragen, u, a, to carry about.

herum'=treiben, ie, ie, to drive about; sich —, wander about; (*intr.*), drift about.

der Herum'treiber, –s, —, vagabond.

herun'ter, down, downwards.

herun'ter=holen, to take down.

herun'ter=langen, to take down, bring down.

herun'ter=sinken, a, u, to sink down.

hervor', forward, out.

hervor'ragend, prominent.

hervor'=treten, a, e, to step forth.

*****das Herz(e)**, –ens, –en, heart.

her'zen, to caress.

herz'haft, hearty, cordial.

herzu', up, to this place.

herzu'=eilen, to hasten up.

herz'zerreißend, heart-rending.

heu'len, to howl.

*****heu'te**, today; — abend, this evening.

heut'zutage, nowadays.

der He'renmeister, –s, —, wizard, magician.
*hier, here.
hierher', hither, here.
hier'zulande, (hier zu Lande), here, in this locality, hereabouts.
*die Hil'fe, –n, help, aid.
hilf'los, helpless.
*der Him'mel, –s, —, heaven, sky.
die Him'melfahrt, –en, ascension; Mariä —, ascension of the Virgin.
der Him'melgucker, –s, —, stargazer, visionary.
die Him'melsbraut, ⸚e, bride of heaven.
die Him'melskönigin, –nen, queen of heaven.
die Him'melstochter, ⸚, daughter of heaven.
himm'lisch, heavenly, celestial.
*hin, thither, there; along; — und wieder, now and then; da und dort —, to this place and to that place.
*hinab', down.
hinab'=klettern, to climb down, scramble down.
hinab'=sinken, a, u, to sink down.
hinab'=steigen, ie, ie, to go down, descend.
hinan', up, onwards.
hinan'=fliegen, o, o, to fly upwards, run up.
hinan'=steigen, ie, ie, to ascend, run up, mount.
*hinauf', up.
hinauf'=laufen, ie, au, to run up.
hinauf'=schauen, to look up.
hinauf'=steigen, ie, ie, to mount, ascend, climb.

hinauf'=ziehen, zog, gezogen, to pull up; (intr.), go up, move up.
*hinaus', out, beyond, outside.
hinaus'=laufen, ie, au, to run out.
hinaus'=ragen, to tower out, extend, project.
hinaus'=reichen, to reach out.
hinaus'=rufen, ie, u, to call out.
hinaus'=steigen, ie, ie, to step forth, come out.
das Hin'dernis, –ses, –se, obstacle.
*hinein', in, into.
hinein'=biegen, o, o, to bend in.
hinein'=binden, a, u, to bind into, tie into.
hinein'=bringen, brachte, gebracht, to bring in, get inside.
hinein'=schauen, to look in, gaze into.
hin'=fließen, o, o, to flow along.
hin'=gehen, ging, gegangen, to walk along, pass, go there, go thither.
hin'nen, hence, away; von —, from here, away.
hin'=setzen, to set down (away); sich —, to sit down.
hin'=strecken, to stretch out, forth.
hin'=stürzen, to fall down, rush on.
*hin'ter, behind, back of.
der Hin'tergrund, –es, ⸚e, background.
hinü'ber, over, across, that way.
hinü'ber=gehen, ging, gegangen, to go over (across).
hinü'ber=ziehen, zog, gezogen, to pull over; (intr.), move that way, move across.
*hinun'ter, down.
hinun'ter=spülen, to wash away, rinse down.
hinun'ter=steigen, ie, ie, to go down, descend.

hin'=wischen, to wipe across, rub over.

hin'=zeichnen, to draw out, design.

hin'=ziehen, zog, gezogen, to pull or draw along; sich —, run or move along; (intr.), move along, depart.

das Hirn, -s, -e, brain.

histo'risch, historical.

*hoch, comp. höher, sup. höchst; high, sublime, grand.

der Hoch'altar', -s, -äre, high altar.

das Hoch'amt, -s, ⸗er, high mass.

hochan'gesehen, highly respected.

hochauf'gerichtet, erect.

hoch'begabt, highly gifted.

hoche'del, most noble.

hoch'fahrend, haughty, proud.

hoch'gegiebelt, high-gabled.

hoch'gewölbt, high-vaulted.

*höchst, sup. of hoch.

hochwei'se, most wise, honorable, reverend.

die Hoch'zeit, -en, wedding.

*hof'fen, to hope.

*die Hoff'nung, -en, hope.

hoff'nungerweckend, hope-awakening, hope-inspiring.

hoff'nungslos, hopeless.

der Hof'gerichts'direk'tor, -en, -en, presiding judge of Superior Court.

das Hof'thea'ter, -s, —, court theater.

*die Hö'he, -n, height, summit, top; in die —, up.

hö'her, comp. of hoch.

höh'nen, to scoff, mock.

höh'nisch, scornful, mocking, sneering.

der Hokuspo'kus, hocus-pocus, tricks.

*ho'len, to take, fetch, get.

die Höl'le, -n, hell.

*das Holz, -es, ⸗er, wood.

höl'zern, wooden.

holz'geschnitzt, carved in wood.

die Holz'schneiderkunst, art of wood-carving.

der Holz'schneider, -s, —, wood carver.

der Holz'schnitt, -s, -e, woodcut.

die Honoratio'renbank, (tio = tsio) ⸗e, bench of the dignitaries.

*hö'ren, to hear.

der Horizont', -s, -e, horizon.

der Hort, -es, -e, hoard, treasure; place of refuge.

hül'len, to wrap, cover, veil.

der Humanis'mus, humanism.

der Humanist', -en, -en, humanist.

*der Hund, -es, -e, dog.

das Hun'dert, -s, -e, hundred.

hun'gern, to be hungry, hunger.

hü'ten, to guard, watch; sich —, be on one's guard.

J

ich, I.

ideal', ideal.

die Idee', -n, idea, conception.

ihr, you.

ihr, her, their.

ih'rig, her, its, their; her or their own.

*im'mer, always, ever; — mehr, more and more; — noch, still.

immerdar', forever; auf —, forever.

*in, in, to, at; to, into.

*indem′, while, since.

indes′, indeſſen, in the meantime, meanwhile; while.

ineinan′der drin, (in ein ander), confused, mixed together.

in′grimmig, fierce.

*der In′halt, –es, contents.

inmit′ten, in the midst of.

in′nen, inside; nach —, on the inside, internally.

*in′ner, inner, mental, internal.

in′nig, with deep feeling, ardent, sincere.

das Intereſ′ſe, –s, –n, interest.

*intereſſie′ren, to interest.

die Interval′le, –n, interval.

ir′re, wrong, astray, erring; — machen, to mislead.

J

*ja, yes; you know, why.

ja′gen, to hunt, chase, drive away.

*das Jahr, –es, –e, year; vor Jahren, years before.

jah′relang, for years.

das Jahrhun′dert, –s, –e, century.

Ja′kob, Jacob, James.

*je, ever, at any time.

*je: — nun, well!

*je′der, jede, jedes, each, every; each one, every one.

jedoch′, however.

je′mals, ever.

*je′mand, some one.

*je′ner, jene, jenes, that, that one, the former.

jen′ſeitig, on the other side of, opposite.

jen′ſeits, jen′ſeit, on the other side of, beyond.

*jetzt, now.

der Ju′bel, –s, jubilation, shouts of joy.

der Ju′belchor, –s, ⸚e, (ch = k), exulting chorus, joyous chorus.

ju′beln, to exult, rejoice.

jubilie′ren, to exult, rejoice.

die Ju′gend, youth.

*jung, comp. ⸚er, sup. ⸚ſt, young.

*der Jun′ge, –n, –n, lad, boy.

die Jung′frau, –en, maid, virgin; Miss (= Fräulein).

jung′fräulich, maidenly, girl-like, virgin.

der Jüng′ling, –s, –e, youth, young man.

juſt, just.

K

der Kaf′fee, –s, coffee.

der Kä′fig, –s, –e, cage.

der Kai′ſer, –s, —, emperor.

der Kai′ſerbaum, –es, ⸚e, emperor's tree.

das Kai′ſerbäumchen, –s, —, emperor's tree (*affectionate diminutive*).

die Kai′ſerkrone, –n, imperial crown.

kai′ſerlich, imperial.

der Kai′ſerſtuhl, –s, the Kaiserstuhl, a range of mountains in Breisgau.

die Kai′ſertradition′, (tion = tſion), –en, Kaiser legend, imperial tradition.

*kalt, comp. ⸚er, sup. ⸚eſt, cold.

der Kam′merherr, –n, –en, chamberlain.

der Kampf, –es, ⸚e, conflict, struggle, battle.

*kämp′fen, to fight, struggle, contend.

kan′negießern, to talk of state affairs.

der Kano′nendonner, –s, thunder of cannon.

das Kapital′, –es, –e or –ien, capital.

das Kapi′tel, –s, —, chapter.

das Käpp′chen, –s, —, little cap.

kasta′nienbraun, (pron. –nyen), chestnut brown.

katho′lisch, Catholic.

*kau′fen, to buy.

*kaum, scarcely.

keh′ren, to turn.

*kein, no, none, not any.

kei′nerlei, of no sort, none at all.

*ken′nen, kannte, gekannt, to be acquainted with, know.

*die Kennt′nis, –se, knowledge.

der Kerl, –s, –e, fellow.

ker′zengrade, straight as a candle, as an arrow.

die Ket′te, –n, chain.

der Ket′tenhund, –es, –e, watch-dog.

keu′chen, to pant.

*das Kind, –es, –er, child.

kind′lich, childlike, childish.

*die Kirche, –n, church.

kirch′lich, church, ecclesiastical.

die Kirch′tür, –en, church door.

*kla′gen, to lament, complain.

kläg′lich, pitiable, wretched, mournful.

klam′mern, to fasten by clamps; sich —, to cling to convulsively.

die Klau′se, –n, cell.

die Klausur′, –en, confinement, seclusion.

*das Kleid, –es, –er, garment; (pl.), clothes.

die Klei′dung, clothing.

*klein, little, small.

klein′bürgerlich, provincial, countrified.

das Klei′nod, –s, –e or Kleino′dien, jewel.

klet′tern, to clamber, climb.

die Klin′ge, –n, blade.

klir′ren, to clink, clatter, click.

*klop′fen, to knock, beat.

der Klop′fer, –s, —, knocker.

das Klo′ster, –s, ⸚, convent, monastery.

die Klo′sterhut, convent confinement, convent seclusion.

*klug, comp. ⸚er, sup. ⸚st, wise, shrewd.

*der Kna′be, –n, –n, boy.

das Knie, –s, –e or Kni′e, knee.

knie′en, to kneel.

die Knos′pe, –n, bud.

knüp′fen, to tie, unite; sich —, be connected.

knur′ren, to growl.

die Kö′chin, –nen, cook.

Kol′mar, capital of the district of Upper Alsace.

*kom′men, kam, gekommen, to come; get.

der Konditional′satz, –es, ⸚e, conditional sentence.

*kön′nen, konnte, gekonnt, be able to, know how; can, may.

*der Kopf, –es, ⸚e, head.

der Kopf′hänger, –s, —, brooder.

kopf′schüttelnd, shaking the head.

*die Kraft, ⸚e, force, power.

kräf′tig, powerful, strong.

*krank, comp. ⸚er, sup. ⸚st, sick.

der Kranz, —es, ⸚e, wreath.
das Kreuz, —es, —e, cross.
kreu'zen, to cross.
der Kreuz'gang, —s, ⸚e, cross walk, cloistered walk, arcade.
*der Krieg, —es, —e, war.
der Kriegstag, —es, —e, day of war.
die Kro'ne, —n, crown.
krö'nen, to crown.
die Krö'nung, —en, coronation.
der Küb'ler, —s, —, cooper.
die Kü'che, —n, kitchen.
das Küch'lein, —s, —, chick, little one.
*kühl, cool.
kühn, keen, bold.
küm'mern, to concern, trouble.
kund, known; — tun, to make known, proclaim.
künden, to make known.
*die Kunst, ⸚e, art.
*der Künst'ler, —s, —, artist.
das Künst'lerauge, —s, —n, artist's eye.
künst'lerisch, artistic.
die Künst'lersage, —n, tradition about an artist, legend of an artist.
die Künst'lervision', —en, artist's vision.
künst'lich, artificial, conventionalized.
kunst'reich, artistic.
der Kunst'schatz, —es, ⸚e, art treasure.
*kurz, comp. ⸚er, sup. ⸚st, short.
der Kuß, —es, ⸚e, kiss.
küs'sen, to kiss.

L

die Lache, —n, laugh, laughter.
*lä'cheln, to smile.
*la'chen, to laugh.
la'gern, to lay (down); (intr.), lie, rest, hover; sich —, lie down, hover.
der Lai'e, —n, —n, layman.
der Land'mann, —es, —leute, countryman, farmer.
die Land'schaft, —en, landscape, country.
der Land'streicher, —s, —, tramp, vagabond.
*lang, comp. ⸚er, sup. ⸚st, long.
lan'ge, for a long time.
lan'gen, to reach for; (intr.), reach, suffice.
*lang'sam, slow.
längst, long since.
*las'sen, ie, a, to forsake, relinquish, let, leave; von jemand —, to give up; (with inf.), allow, cause; aufführen —, have erected; sich tun —, admit of being done, be possible.
lau, lukewarm, mild.
das Laub'werk, foliage.
die Lauf'bahn, career, course.
*lau'fen, ie, au, to run.
das Lauf'feuer, —s, —, wildfire.
lau'schen, to listen to, eavesdrop, watch.
*laut, loud, audible, aloud.
die Lau'te, —n, lute.
läu'ten, to ring (a bell).
laut'los, silent.
*le'ben, to live.
*das Le'ben, —s, —, life.
leben'dig, alive, living.
die Le'bensgröße, life size.
leb'haft, lively, vivid.
leb'los, lifeless, inanimate.
die Leb'zeiten, lifetime.

le'dern, leathern.
leer, empty, deserted.
*le'gen, to lay; sich —, to lie down.
leh'nen, to lean, sich —, support oneself.
*die Leh're, –n, teaching, doctrine.
*leh'ren, to teach.
der Leh'rer, –s, —, teacher.
die Lehr'zeit, –en, apprenticeship.
der Leib, –es, –er, body, substance.
leibhaf'tig, bodily, incarnate, real.
*leicht, light, easy.
*lei'den, litt, gelitten, to suffer, endure (*colloq.* stand); ich mag nicht —, I can't stand.
lei'denschaftlich, passionate.
*lei'der, alas, unfortunately.
*lei'se, soft, gentle, low.
lei'sten, to perform, furnish, render; Bürgschaft —, give security.
die Lei'ter, –n, ladder.
len'ken, to direct.
*ler'nen, to learn.
der Le'ser, –s, —, reader.
der Le'serkreis, –es, –e, circle of readers.
*letzt, last.
letz'tenmal, the last time.
letz'ter, (*comp.*), latter.
leuch'ten, to shine.
die Leucht'kugel, –n, ball of light, fireball.
*die Leu'te, (*pl.*), people.
licht, light, bright.
*das Licht, –es, –er, light, candle.
licht'scheu, shunning the light, blinded.
der Licht'strahl, –s, –en, ray *or* beam of light.

*lieb, dear; am liebsten weilen, be fondest of lingering.
das Lieb, –s, darling.
lieb'äugeln, to ogle, make eyes at.
das Lieb'chen, –s, —, sweetheart, darling.
*die Lie'be, love.
*lie'ben, to love.
der Lie'bende, lover.
lie'ber, preferably, rather; ich schneide —, I had rather cut; am liebsten (*with verb*), to like best.
die Lie'besetiket'te, –n, etiquette of love.
der Lie'besfrühling, –s, –e, springtime of love.
das Lie'beslied, –es, –er, love song.
der Lieb'haber, –s, —, admirer, lover.
lieb'lich, lovely, charming.
der Lieb'lingsschüler, –s, —, favorite pupil.
*das Lied, –es, –er, song.
*lie'gen, a, e, to lie.
die Li'nie, –n, (*pron.* =ye), line.
*links, left, to the left; nach —, to the left.
die Lip'pe, –n, lip.
litera'risch, literary.
das Lob, –es, praise.
das Loch, –es, ⸚er, hole.
die Lo'cke, –n, curl lock.
lo'cken, to entice, allure.
lo'dern, to flame, blaze.
die Lo'he, flame, blaze.
*los, loose, free, rid.
los'-reißen, i, i, to tear loose, tear away.
der Lö'wenkopf, –es, –e, lion's head.
*die Luft, ⸚e, air, (*pl.*), breezes.

der Luft'zug, -es, ⸚e, current of air, breeze.

der Lump, -en, -en, rag, ragamuffin.

lut'schen, to suck.

die Ly'rik, lyric poetry.

M

*ma'chen, to make, do.

mäch'tig, mighty.

*das Mäd'chen, -s, —, girl, maid (servant).

das Mäd'chengesicht', -es, -er, girl-face.

das Mä'del, -s, — or -s, girl, lass.

das Madon'nenauge, -s, -n, Madonna eye.

die Magd, ⸚e, girl, maid, maidservant.

der Magistrat', -s, -e, magistrate, magistracy, council.

der Mai'käfer, -s, —, cockchafer, June bug.

Mai'land, Milan.

Mai'li, dim. of Marie, May, Mamie.

majestä'tisch, majestic.

*das Mal, -s, -e, time.

*ma'len, to paint.

ma'lerisch, picturesque.

*man, one, they.

*manch, many, many a.

manch'mal, sometimes.

*der Man'gel, -s, ⸚, defect, lack, deficiency.

*der Mann, -es, ⸚er, man.

die Män'nergestal'ten, (pl.), forms of men; (sing.), die Män'nesgestalt', form of a man.

das Männ'lein, -s, —, man (humorous diminutive).

*der Man'tel, -s, ⸚, cloak.

die Map'pe, -n, portfolio, case.

das Mär'chenschloß, -es, ⸚er, fairy castle, fabled castle.

Mari'a, Mari'ä, Mary.

das Mark, -s, marrow, pith.

*der Markt, -es, ⸚e, market place.

Martin Schön, an artist in Colmar.

matt, feeble.

Marx Treitz'sauerwein, secretary to Maximilian.

*die Mau'er, -n, wall.

die Mau'ernische, -n, niche in the wall.

das Maul, -es, ⸚er, muzzle, mouth, (vulg. used of people).

Max = Maximilian, Maximilian.

*mehr, more; nicht —, no longer.

die Mehr'zahl, plural.

mei'den, ie, ie, to shun, avoid, lose, give up.

*die Mei'le, -n, mile.

mein, my, mine.

*mei'nen, to remark, mean, think.

*der Mei'ster, -s, —, master; (title), Master.

das Mei'sterwerk, -s, -e, masterpiece.

*die Men'ge, -n, crowd, multitude.

*der Mensch, -en, -en, man, human being; (pl.), people.

das Men'schenbild, -es, -er, human form, human figure.

das Men'schenkind, -es, -er, human being.

das Men'schenleben, -s, —, human life.

die Men'schenmasse, -n, mass of people, throng.

die Men'schenmenge, -n, crowd, throng of people.

das Men'schenwerk, –s, –e, work of man, human work.

die Mensch'heit, humanity, mankind.

*merken, to notice.

mer'zen, *see* ausmerzen.

der Mes'ner, –s, —, sexton.

die Mes'se, –n, mass.

*das Mes'ser, –s, —, knife.

das Meß'glöcklein, –s, —, massbell, sacring bell.

mes'singen, brass.

mi'schen, to mix, mingle.

miß'handeln, *also* mißhan'deln, (*past part.*), mißhan'delt *or* gemiß'handelt *or* mißgehan'delt, to abuse, ill-treat.

*mit, with, by means of, along.

mit'=arbeiten, to work with.

mit'=freuen, to rejoice with.

das Mit'leid, –s, pity, sympathy.

mit'=nehmen, nahm, genommen, to take along.

*der Mit'tag, –s, –e, mid-day, noon.

*die Mit'te, –n, middle, midst.

mit'tel, central, middle.

das Mit'telalter, –s, Middle Ages.

*mögen, mochte, gemocht, to be inclined, be possible, may, might, like.

*möglich, possible.

*der Mond, –es, –e, moon, month.

die Monstranz', –en, monstrance, pyx.

die Mord'kugel, –n, murderous missile.

*der Mor'gen, –s, —, morning, morrow.

*morgen, to-morrow.

die Mor'gensonne, –n, morning sun.

Mortier' (*pron.* Mor=ti=eh'), a fort near Neubreisach.

*mü'de, weary, tired.

die Mü'he, –n, trouble, pains, toil.

das Mün'chen, –s, Munich.

*der Mund, –es, –e (*or* ⸚er), mouth.

das Mün'ster, –s, —, minster, cathedral.

der Mün'sterplatz, –es, ⸚e, cathedral square, minster square.

der Mün'stersimpel, –s, —, cathedral beggar, cathedral simpleton.

mun'ter, cheerful, merry, awake.

der Mu'siker, –s, —, musician.

*müs'sen, mußte, gemußt, to have to, be obliged to, must.

mü'ßig, idle, lazy.

*der Mut, –es, mood, courage, spirit; zu Mute sein, to feel at heart, feel.

*die Mut'ter, ⸚, mother.

das Müt'terchen, –s, —, (*dim.*), little old woman, dear mother.

die Müt'ze, –n, cap.

N

*nach, after; towards, according to, concerning, about; — und —, gradually.

*der Nach'bar, –s, –n, neighbor.

das Nach'barskind, –es, –er, neighbor's child.

*nachdem', after.

nach'=fragen, to make inquiries concerning, ask about.

nach'=kommen, kam, gekommen, to come after, follow.

*die Nach'richt, –en, news, information.

nach'-sagen, to say after, say of or about.

nach'-schauen, to look around at.

*****nächst,** next, nearest.

*****die Nacht, ⸗e,** night.

näch'tig, nocturnal, nightlike, dark.

*****na'he,** *comp.* **⸗er,** *sup.* **nächst,** near.

nä'hern, to bring nearer; **sich —,** approach, draw near.

*****der Na'me, -ns, -n,** name.

nar'ren, to make fun of.

*****die Na'se, -n,** nose.

*****naß,** damp, wet.

*****die Natur', -en,** nature.

*****natür'lich,** natural.

der Ne'bel, -s, —, fog, mist.

*****ne'ben,** beside.

das Ne'bengemach', -es, ⸗er, adjoining room.

*****neh'men, nahm, genommen,** to take; **vorlieb —,** put up with, be contented; **sich nicht — lassen,** insist upon.

nei'gen, to incline, bow.

*****nein,** no.

*****nen'nen, nannte, genannt,** to call, name.

*****neu,** new, anew.

neuauf'gehend, *see* **neu** *and* **aufgehen.**

die Neu'gier, curiosity.

neu'gierig, inquisitive.

*****nicht,** not.

*****nichts,** nothing.

*****nie,** never.

*****nie'der,** low, low-posted, down.

nie'der-fallen, fiel, gefallen, to fall down.

nie'der-knieen, to kneel down.

die Nie'derlande, (*pl.*), Low Countries, Holland.

der Nie'derländer, -s, —, Netherlander.

nie'der-legen, to lay down, deposit.

nie'der-schreiben, ie, ie, to write down, write out.

nie'der-schwanken, to sway downwards, sink.

nie'der-sinken, a, u, to sink down.

nie'der-steigen, ie, ie, to descend.

nie'der-strahlen, to stream down, beam down.

nie'mals, never.

*****nie'mand,** no one, nobody.

nim'mer, never.

nimmermehr', nevermore.

die Ni'sche, -n, niche.

*****noch,** yet, still, besides, more; **— nicht,** not yet; **— ein,** one more; **immer —,** still; (*conj.*), or, nor; **weder ... —,** neither ... nor.

*****die Not,** need, distress.

die Novel'le, -n, novelette.

*****nun,** now, well.

*****nur,** only.

O

o! O!

*****ob,** though, whether; **als —,** as though.

ob ... schon, although.

*****o'ben,** above, up.

obenein', into the bargain.

das O'berbayern, -s, Upper (southern) Bavaria.

der O'berrhein, -s, upper Rhine.

obig, above.

der O'dem, -s, = Atem, breath.

*****o'der,** or.

*****of'fen,** open.

die Öf'fentlichkeit, publicity.
*öff'nen, to open; sich —, open to view.
*oft, often.
öf'ters, often.
der O'heim, (or Ohm), -s, -e, uncle.
*oh'ne, without.
das Oh'nesorge, (trans. of French) Sans Soucie, without care.
ohn'mächtig, unconscious.
oho', (h not silent), (interj.), oho!
*das Ohr, -es, -en, ear.
das Op'fer, -s, —, offering, sacrifice, victim.
der Op'fermut, -es, spirit of sacrifice.
op'fermutig, self-sacrificing.
*or'dentlich, respectable, orderly, decent, regular, responsible.
*die Ord'nung, -en, order, arrangement.
die Ort'schaft, -en, place, village.

P

*das Paar, -es, -e, pair, couple; ein —, a few.
das Pär'chen, -s, —, little couple.
der Pa'ria, -s, pariah, outcaste (in India, one belonging to the lowest caste).
pas'sen, to fit.
der Passions'roman', -s, -e, religious novel.
die Pau'se, -n, pause.
das Pergament', -es, -e, parchment.
per'len, to pearl, sparkle, run.
*pflan'zen, to plant.
*pfle'gen, to cherish, tend, care for, be accustomed.

*die Pflicht, -en, duty.
pflü'cken, to pluck.
pfui, fie, pshaw.
die Phantasie', -n, (i'en = ie=en), fancy.
phanta'stisch, fantastic, imaginative.
der Pla'stiker, -es, —, sculptor.
die Plat'te, -n, block for woodcut, woodcut, slab.
das Plat'tenschneiden, -s, engraving cuts.
*der Platz, -es, ⸚e, place, square.
plat'zen, to burst.
*plötz'lich, sudden.
der Plun'der, -s, trash, rubbish.
der Plus'quamperfekt', -s, pluperfect.
poe'tisch, poetic.
*poli'tisch, political.
die Post, -en, post, mail.
präch'tig, splendid.
pracht'voll, splendid.
prägen, to stamp, brand.
der Prophet', -en, -en, prophet.
prophezei'en, to prophesy.
prü'fen, to test, examine.
pur'purn, purple.
put'zen, to polish, adorn, dress up.

Q

quel'len, o, o, to gush forth.

R

der Rach'en, -s, —, throat, jaws.
raf'fen, to snatch up.
ra'gen, to tower, project.
der Rah'men, -s, —, frame.
die Ran'ke, -n, tendril, climber.

das Ränzel, -s, —, knapsack.
*rasch, quick, rapid, swift.
ra'scheln, to rustle.
der Ra'sen, -s, —, turf, sward.
der Ra'senplatz, -es, -̈e, grassplot.
die Rast, rest.
ra'sten, to rest.
*der Rat, -es, -̈e, advice, council; member of the council, councilor.
*ra'ten, ie, a, to advise.
das Rat'haus, -es, -̈er, city hall.
der Ratsbuch'halter, -s, —, bookkeeper of the council.
der Rats'diener, -s, —, servant or messenger of the council.
der Rats'herr, -n, -en, councilman.
die Rats'herrntochter, -̈, councilman's daughter.
die Rats'sitzung, -en, session of the council.
die Rats'tochter, -̈, councilor's daughter.
rauh, rough, rude, raw.
rau'schen, to rush, roar (of wind or water).
rech'nen, to reckon, estimate.
*recht, right, worth while, creditable, fine, real; (intensive adv.), very.
*das Recht, -es, -e, right, law; recht haben, to be right.
die Rechte, -n, the right hand.
rechts, right, to the right; nach —, to the right.
*die Re'de, -n, speech, talk.
*re'den, to talk, speak, say.
der Red'ner, -s, —, speaker.
red'lich, honest, upright.
der Reformations'kampf, -es, -̈e, (tion = tsion), **struggle of the Reformation.**
re'gelmäßig, regular.
re'ge, active.
re'gen, to stir, move,
rei'ben, ie, ie, to rub.
*reich, rich, abundant.
*das Reich, -es, -e, realm, kingdom.
reich'lich, abundant, ample.
der Reich'tum, -s, -̈er, wealth, riches.
die Rei'he, -n, row, rank, series.
*rein, pure, clear.
die Rei'ne, purity.
*die Rei'se, -n, journey.
rei'sefertig, ready for travel.
*rei'sen, to travel.
*rei'ßen, i, i, to pull, tear; (intr.), burst, snap.
der Reiz, -es, -e, charm, attraction.
rei'zen, to excite, irritate, fascinate, charm.
der Respekt', -s, respect.
der Rest, -es, -e, rest, remnant.
*ret'ten, to save, rescue.
die Ret'tung, -en, rescue, salvation.
der Rhein, -s, the Rhine.
die Rheine'bene, -n, plain of the Rhine.
*rich'ten, to direct, judge.
*rich'tig, right, correct, sure enough.
*die Rich'tung, -en, direction.
die Rin'de, -n, bark.
rings, around, about.
ringsum', round about, in the vicinity.
rin'nen, a, o, to run.
*der Rit'ter, -s, —, knight, cavalier.
*der Rock, -es, -̈e, coat, skirt.

die Rol'le, -n, roll, part.
der Roman', -s, -e, novel.
rö'misch, Roman.
*die Ro'se, -n, rose.
der Ro'senbaum, -es, ⸗e, rose tree, rosebush.
das Ro'senbäumchen, -s, —, rosebush.
das Ro'senblatt, -es, ⸗er, rose leaf.
der Ro'sendorn, -s, -e, or -en or ⸗er, rose thorn, wild rose.
der Ro'senduft, -es, ⸗e, rose perfume, fragrance of roses.
der Ro'senkäfer, -s, —, rose chafer.
der Ro'senkranz, -es, ⸗e, rosary.
der Ro'senstock, -es, ⸗e, rosebush.
das Rös'lein, -s, —, little rose, rosebud.
ro'sten, to rust.
*rot, red.
die Rö'te, redness, blush, ruddy glow.
*der Rü'cken, -s, —, back.
die Rück'kehr, return.
die Rück'wand, ⸗e, back wall.
der Ruf, -es, -e, call, shout.
*ru'fen, ie, u, to call, summon, cry out.
*die Ru'he, rest, repose.
das Ru'hekissen, -s, —, pillow (of rest).
ru'hen, to rest, repose.
*ru'hig, quiet.
*rüh'ren, to touch, stir, smite; vom Donner gerührt, thunderstruck, dumbfounded.
*rund, round.
die Rup'pacherin, *feminine form of* Ruppacher.
rüt'teln, to shake.

S

der Saal, -es, Säle, room, hall.
*die Sa'che, -n, thing, affair.
die Sa'ge, -n, legend, tale.
*sa'gen, to say.
sal'ben, to anoint; der Gesalbte, the anointed one (the Emperor).
das Sam'metbarett', -s, -e, velvet cap.
das Sam'metkollett', -s, -e, velvet doublet *or* riding jacket.
sanft, soft, gentle.
das Sanssouci, (*Fr., pron.* sang'susie), "Without Care," palace at Potsdam near Berlin, built by Frederick the Great.
der Satz, -es, ⸗e, sentence.
das Satz'paar, -es, -e, pair of sentences.
sau'gen, o, o, to suck.
die Säu'le, -n, column, pillar.
*schaf'fen, (*wk.*), to make, do, procure; (u, a), create.
das Schaf'fen, -s, activity.
schä'kern, to jest, play.
schal'len, (*weak or* o, o), to ring out, resound.
die Schan'de, disgrace, shame.
scha'ren, to assemble, gather.
*der Schat'ten, -s, —, shade, shadow, spirit.
schat'tenlos, shadeless, without shadow.
*schau'en, to gaze, look (*South German*).
der Schau'er, -s, —, shudder, thrill, shower.
das Schau'spiel, -es, -e, play, performance.
der Schau'spieler, -s, —, actor.

VOCABULARY

die Schau'spielerin, –nen, actress.
die Schei'be, –n, disk, window-pane.
*schei'den, ie, ie, to separate, depart, part.
*schei'nen, ie, ie, to shine, seem, appear.
der Schei'tel, –s, —, parting (of hair), top, crown, head.
die Schel'le, –n, bell.
schel'len, to ring (a bell).
schel'ten, a, o, to scold, rebuke.
*schen'ken, to give, present.
die Schen'kung, –en, donation, gift.
sche'ren, o, o, to shear; sich —, be off, clear out.
scher'zen, to jest.
*schi'cken, to send.
*schie'ßen, o, o, to shoot, pass rapidly.
die Schiff'brücke, –n, bridge of boats, pontoon bridge.
die Schild'wache, –n, sentry.
schim'mern, to shimmer, gleam.
der Schimpf, –es, –e, affront, insult, invective, curse.
*die Schlacht, –en, battle.
der Schlach'tenlärm, –s, –e, din of battle.
das Schlacht'getüm'mel, –s, —, tumult of battle.
der Schlaf, –es, sleep.
die Schläfe, –n, temple, brow.
der Schlag, –es, ⸚e, blow, stroke, (stroke of) apoplexy.
*schla'gen, u, a, to strike, beat, throb.
schlank, slender.
*schlecht, bad, poor (in quality).
*schlie'ßen, o, o, to close, shut.
schlin'gen, a, u, to wind, twine.
der Schloß'berg, –es, –e, castle hill, hill on which a castle is situated.

schluch'zen, to sob.
schlum'mern, to slumber.
der Schlüs'sel, –s, —, key.
die Schmach, insult, affront.
schmel'zen, o, o, to melt.
*der Schmerz, –es, –en, pain, grief.
der Schmied, –es, –e, smith.
das Schmie'defeuer, –s, —, smithy fire.
die Schmin'ke, –n, paint, rouge.
schmin'ken, to paint (the cheeks).
schmü'cken, to adorn, decorate.
schnat'tern, to cackle, chatter.
*der Schnee, –s, snow.
die Schnee'wolke, –n, snow cloud.
*schnei'den, schnitt, geschnitten, to cut, carve.
der Schnei'der, –s, —, tailor.
*schnell, quick.
schnel'len, to spring, dart.
schnit'zen, to carve.
das Schnitz'werk, –es, carved work.
schnö'de, base, insolent, disdainful.
der Schnör'kel, –s, —, scroll, flourish.
der Schnurrant', –en, –en, wandering minstrel.
*schon, already, certainly, all right, merely.
*schön, beautiful, handsome, pretty.
die Schön'heit, –en, beauty.
der Schöp'fer, –s, —, creator.
schöp'ferisch, creative.
die Schöp'fung, –en, creation.
der Schreck, –es, fear, terror.
der Schre'cken, –s, —, terror, fright.
der Schrei, –s, –e, scream.

*schrei'ben, ie, ie, to write.
das Schrei'ben, -s, —, writing, letter.
die Schreib'schwärze, -n, ink.
schrei'en, ie, ie, to scream.
schrei'ten, schritt, geschritten, to stride, go, step.
*die Schrift, -en, writing.
der Schrift'steller, -s, —, writer, author.
die Schrift'stellerin, -nen, writer, authoress.
das Schrift'stellertum, -s, authorship, writing.
*der Schritt, -es, -e, step, pace, stride.
schroff, abrupt, steep, precipitous.
schüch'tern, timid, shy.
der Schuft, -es, -e, scoundrel, rascal.
der Schuh, -s, -e, shoe, foot (measure).
schul'dig, guilty, indebted, owing.
der Schü'ler, -s, —, pupil.
die Schul'ter, -n, shoulder.
die Schür'ze, -n, apron.
der Schu'ster, -s, —, shoemaker.
*schüt'teln, to shake.
die Schwa'nenmutter, ⸚, mother swan.
schwan'ken, to swing, wave, sway; auf und nieder —, rise and fall.
*schwarz, black.
der Schwarz'wald, -s, the Black Forest.
*schwei'gen, ie, ie, to remain silent, be still.
*der Schweiß, -es, sweat; (fig.), toil.
schweiß'bedeckt', sweat-covered.
der Schweiß'tropfen, -s, —, drop of sweat.

die Schweiz, Switzerland.
die Schwel'le, -n, threshold.
schwel'len, o, o, to swell.
*schwer, heavy, difficult, trying, great, hard.
*die Schwe'ster, -n, sister.
der Schwie'gersohn, -es, ⸚e, son-in-law.
schwie'lig, callous.
schwin'deln, to be dizzy.
schwin'den, a, u, to vanish, depart, leave.
schwö'ren, o or u, o, to swear, vow.
der Schwung, -es, ⸚e, swing, flight, freedom.
sech'zehn, sixteen.
Sedan', Sedan, a city in the northeastern part of France near the German frontier.
die See'le, -n, soul.
das See'lenheil, -s, soul's salvation.
see'lenvoll, soulful.
seg'nen, to bless.
*seh'en, a, e, to see.
seh'nen, to yearn, long.
die Sehn'sucht, yearning.
sehn'süchtig, longing.
*sehr, very, very much.
die Sei'de, -n, silk.
*sein, war, gewesen, to be, exist.
sein, seine, sein, his, its.
*seit, since, for.
*seitdem', since, since then.
*die Sei'te, -n, side, page.
*selber, same, self, myself, yourself, etc.
selbst, self, even.
se'lig, happy, blissful, blessed.
*sel'ten, rare, unusual, seldom.

ſelt'ſam, peculiar, strange.

*****ſen'den**, ſandte *or* ſendete, geſandt *or* geſendet, to send.

ſen'ken, to sink, lower; ſich —, to fall, sink.

ſenk'recht, vertical, perpendicular.

*****ſet'zen**, to set, set out, plant, put; ſich —, sit down.

ſich, himself, herself, itself, themselves, each other, one another.

*****ſi'cher**, safe, sure, certain.

ſicht'bar, visible.

ſie, she, her, it, they, them.

ſie'ben, seven.

ſie'benjahrelang, seven years.

ſie'gen, to be victorious.

*****ſil'bern**, silver, silvery.

*****ſin'gen**, a, u, to sing.

*****ſin'ken**, a, u, to sink.

*****der Sinn**, -s, -e, mind, sense.

ſinn'reich, ingenious.

*****ſit'zen**, ſaß, geſeſſen, to sit.

der Sit'zungsſaal, -es, -ſäle, assembly room, council room.

der Skla've, -n, -n, slave.

*****ſo**, so, thus, then; — ein, such a; — etwas, such a thing, something.

*****ſobald'**, as soon as.

*****ſogar'**, even.

*****der Sohn**, -es, ⸚e, son.

ſolan'ge, as long as, while.

*****ſolch**, such a.

*****ſol'len**, to be one's duty, be obliged, be reported, is to.

*****der Som'mer**, -s, —, summer.

die Som'merhitze, summer heat.

*****ſon'dern**, but.

der Son'nenbrand, -es, sun's glare.

der Son'nenglanz, -es, sunlight, splendor of the sun.

der Son'nenstrahl, -s, -en, sunbeam.

ſon'nig, sunny.

*****der Sonn'tag**, -s, -e, Sunday.

*****ſonſt**, otherwise, else.

*****die Sor'ge**, -n, care.

die Sorg'falt, care, attention.

ſorg'fältig, careful.

ſorg'los, carefree.

ſowohl', both, as well as.

die Span'nung, -en, tension, suspense, anxiety.

*****ſpa'ren**, to save, spare.

der Spaß, -es, ⸚e, joke, jest.

*****ſpät**, late, tardy.

*****ſpielen**, to play.

der Spiel'kamerad', -en, -en, playmate.

die Spiel'ſache, -n, plaything, toy.

*****die Spitz'e**, -n, point, tip.

*****die Spra'che**, -n, language, speech, tongue.

*****ſpre'chen**, a, o, to speak.

der Spre'cher, -s, —, speaker, spokesman.

*****ſprin'gen**, a, u, to spring, run.

*****der Spruch**, -es, ⸚e, saying, proverb, incantation.

ſpü'len, to wash, rinse.

*****der Staat**, -s, -en, state; array, finery.

*****die Stadt**, ⸚e, city.

das Städt'chen, -s, —, little city.

das Stadt'geſpräch', -s, -e, town talk.

der Stamm, -es, ⸚e, stem, trunk.

das Stämm'chen, -s, —, little stem.

ſtam'meln, to stammer.

*****der Stand**, -es, ⸚e, stand, position; zustande bringen, to bring about, accomplish.

*stark, *comp.* ¨er, *sup.* ¨st, strong, vigorous.

stär'ken, to strengthen.

*statt, instead of.

*statt'=finden, a, u, to take place.

statt'lich, stately, splendid, imposing.

der Staub, −es, dust.

stau'nen, to be astonished, wonder.

das Stau'nen, −s, amazement, surprise.

*ste'chen, to set, stick, thrust; (*intr.*), stick, be hidden, remain, be.

*ste'hen, stand, gestanden, to stand, be; — bleiben, stop, stand still.

steif, stiff, rigid.

*stei'gen, ie, ie, to mount, rise, ascend, climb.

stei'gern, to increase, heighten, compare.

steil, steep.

*der Stein, −es, −e, stone.

das Stein'chen, −s, —, little stone, pebble.

stei'nern, stone.

*stel'len, to place, put, set.

*die Stel'lung, −en, position, rank, posture.

*ster'ben, a, o, to die, perish.

*der Stern, −es, −e, star.

*stets, always.

der Stift, −es, −e, peg, pencil, pen.

die Stif'tung, −en, foundation, endowment.

still(e), still, quiet.

die Stil'le, stillness, quiet.

*die Stim'me, −n, voice, vote.

*stim'men, to tune; (*intr.*), agree, be in tune.

die Stirn(e), −n, forehead, brow.

*der Stoff, −es, −e, material.

der Stoff'reichtum, −es, wealth of material.

stolz, proud.

*der Stolz, −es, pride.

*sto'ßen, ie, o, to push, thrust, nudge.

der Strahl, −s, −en, ray, beam.

strah'len, to beam, shine.

Straß'burg, Strasburg, capital of Alsace-Lorraine.

*die Stra'ße, −n, street.

der Strauß, −es, ¨e, nosegay, bouquet.

stre'ben, to strive, aspire, endeavor.

das Stre'ben, −s, ambition.

stre'cken, to stretch, extend.

strei'chen, i, i, to stroke; (*intr.*), rove, wander.

strei'fen, to touch, graze; (*intr.*), roam.

*der Streit, −es, −e, quarrel, dispute.

*streng, stern, severe; auf das —ste, most strictly.

der Strom, −es, ¨e, stream.

strö'men, to stream, flow.

*das Stück, −es, −e, stream.

stumm, silent, mute.

der Stüm'per, −s, —, bungler.

*die Stun'de, −n, hour.

stun'denlang, for hours.

der Sturm, −es, ¨e, storm.

stür'misch, stormy, tempestuous.

die Sturm'nacht, ¨e, stormy night.

stür'zen, to plunge, cast, precipitate.

VOCABULARY

*stüt′zen, to support, prop.
*su′chen, to seek, look for, try.
*der Süd′en, –s, south.
süh′nen, to atone for, avenge.
*die Sum′me, –n, sum, amount.
sum′men, to hum.
*süß, sweet.

T

*der Tag, –es, –e, day; zu — kom=
men, come to light.
der Ta′gedieb, –es, –e, idler.
der Tagesan′bruch, –es, break of
day.
das Ta′gesgrauen, –s, dawn of day.
*das Tal, –es, ⸚er, valley.
*die Ta′sche, –n, pocket.
tä′tig, active.
*die Tat′sache, –n, fact.
die Tau′be, –n, dove, pigeon.
tau′chen, to dip; (intr.), dive, see
auftauchen.
tau′fen, to baptize.
das Tau′send, –s, –e, thousand;
(as adj.), thousand.
*der Teil, –es, –e, part.
*tei′len, to share.
die Teil′nahme, sympathy, interest.
teil′nahmlos, unsympathetic, un-
feeling.
das Testament′, –s, –e, testament,
will.
das Thea′ter, –s, —, theater.
theatra′lisch, theatrical.
*tief, deep, profound; (adv.), deep,
far; — unten, far below.
tief′bewegt′, deeply moved.
die Tiefe, –n, depth.
tief′traurig, melancholy, pro-
foundly sad.

*die Toch′ter, ⸚, daughter.
*der Tod, –es, death.
to′desbleich, deathly pale.
to′desmüde, tired to death, deathly
tired.
tö′nen, to resound.
*tot, dead.
die To′tenklage, –n, death lament,
dirge.
die To′tenstille, deathlike silence.
die Tradition′, –en, (tion = tsion),
tradition.
*tra′gen, u, a, to carry, bear, wear.
*die Trä′ne, –n, tear.
*trau′en, to trust, confide in.
trau′en, (tr.), to marry.
der Traum, –es, ⸚e, dream.
träu′men, to dream.
*trau′rig, sad.
*tref′fen, traf, getroffen, to hit, meet;
sich —, happen.
*trei′ben, ie, ie, to drive, carry on,
practice, impel.
das Trei′ben, –s, activity.
trenn′bar, separable.
*tren′nen, to separate.
*tre′ten, a, e, to step, go, enter;
(tr.), kick, tread on.
*treu, true, faithful.
treu′lich, faithful.
der Treulieb′ste, –n, –n, truest love.
der Tritt, –es, –e, footstep, tread.
*tro′cken, dry.
der Trop′fen, –s, —, drop.
*trotz, in spite of.
trü′be, turbid, gloomy, sad.
die Tru′he, –n, chest, box, trunk.
das Tüch′lein, –s, —, kerchief.
tüch′tig, thorough, capable, effi-
cient, very.
tü′ckisch, malicious.

*die Tu'gend, -en, virtue.
tu'gendsam, virtuous.
tum'meln, to exercise; sich —, play, tumble about.
*tun, tat, getan, to do, make, put, take.
*die Tür(e), -n, door.
der Türk, -en, -en, Turk.
*der Turm, -es, ⸚e, tower, spire.
das Türm'chen, -s, —, little tower, spire.
der Tür'pfosten, -s, —, doorpost.

U

*übel, bad, evil.
*üben, to practice, exercise.
*über, over, above; over, across, beyond.
überall', everywhere.
überbli'cken, to survey, look over.
überein'=stimmen, to agree.
überflie'gen, o, o, to pass over, spread over.
die Ü'bergabe, -n, surrender.
überge'ben, a, e, to turn over, give over, deliver.
*überhaupt', at all, in general, altogether.
überman'nen, to overcome, overpower.
überneh'men, nahm, genommen, to assume, undertake.
die Überra'schung, -en, surprise.
überschüt'ten, to cover by pouring, overwhelm, deluge.
übersetz'en, to translate.
überströ'men, to overflow.
übertra'gen, u, a, to transfer, turn over, intrust.
*üb'rig, other, remaining.

*die Ü'bung, -en, exercise, practice.
*das U'fer, -s, —, shore, bank.
*die Uhr, -en, clock, watch, o'clock.
*um, ended, over; (prep., acc.), around, about, for; — so (comp. adj.), by so much, all the; Jahr — Jahr, year after year; (with infin.), in order to; (sep. pref.), around, about.
um'=biegen, o, o, to bend over.
um'=blicken, to look around.
umfas'sen, to embrace, clasp, include.
die Umfrie'digungsmauer, -n, inclosing wall, parapet.
umge'ben, a, e, to surround.
die Umge'bung, -en, surroundings, environment.
umher', around, about.
umschlin'gen, a, u, to entwine.
sich um'=sehen, a, e, to look around.
um'=sinken, a, u, to fall over.
umste'hen, umstand, umstanden, to stand around, surround (by standing).
um'=tun, tat, getan, to put about, around; sich —, stir about, move about.
umwin'den, a, u, to wind about, entwine.
unabseh'bar, immeasurable, immense.
unaufhalt'sam, irrepressible, unrestrainable.
unbeach'tet, unheeded.
un'bedeutend, insignificant.
unbeküm'mert, unconcerned.
un'belauscht, unwatched.
unberu'fen, unbidden, unauthorized.

unberühmt', unknown, fameless, obscure.
un'bewußt, unconscious.
*und, and.
unerbitt'lich, inexorable, relentless.
unerhört', unheard-of, unprecedented.
unermeß'lich, immeasurable.
unermüd'lich, indefatigable.
un'erschrocken, undaunted, fearless.
un'gefähr, approximately, about.
un'gefüge, unwieldly, intractable, unyielding.
ungehört', unheard.
un'gerecht, unjust.
ungestört', undisturbed.
un'gestüm, impetuous.
ungeübt', untrained.
die Un'gewißheit, uncertainty.
un'gewohnt, unaccustomed, unwonted.
un'gläubig, incredulous.
das Un'glück, -s, -sfälle, misfortune, disaster.
un'heimlich, uncanny, weird, dismal.
*die Universität', -en, university.
unmög'lich, impossible.
un'ser, unsere, unser, our, ours.
un'sicher, uncertain.
un'sichtbar, invisible.
*un'ten, down, below, beneath.
*un'ter, below, under, beneath, among, under the head of, by, in the presence of, with.
unterbre'chen, a, o, to interrupt.
die Unterhal'tungslektü're, -n, light reading.
*der Un'terschied, -es, -e, distinction, difference.
untrenn'bar, inseparable.

unverdros'sen, undaunted, unwearied, cheerful.
unvergleich'lich, incomparable.
unwiderruf'lich, irrevocable.
un'wirklich, unreal.
un'wohl, unwell, ill.
un'zählig, numerous, innumerable.
ur'eigen, original, characteristic, peculiar.
u. s. w., und so weiter, and so forth.

V

*der Va'ter, -s, ⸚e, father.
das Va'terland, -es, native land, fatherland.
das Va'terlandsgefühl', -s, -e, patriotic feeling.
die Va'terlandsliebe, patriotism.
verach'ten, to despise.
verächt'lich, despicable, vile, contemptuous.
verän'dern, to change.
verban'nen, to banish, exile.
verber'gen, a, o, to conceal, hide.
der Verbes'serung, -en, improvement.
*verbie'ten, o, o, to forbid, prohibit.
*verbin'den, a, u, to unite, connect.
verbis'sen, crabbed, surly.
das Verbot', -es, -e, prohibition.
verbrau'chen, to use up, squander, spend.
verbren'nen, verbrannte, verbrannt, to burn.
verbrin'gen, verbrachte, verbracht, to spend, pass.
verdan'ken, to owe, be indebted for.

das Verder'ben, –s, destruction, ruin.
*verdie'nen, to earn, deserve.
verdrieß'lich, vexed, angry, disagreeable.
verdun'keln, to darken, obscure.
verei'nen, to unite, join together.
verfal'len, ie, a, to fall away, pine away, decline.
die Verfas'serin, –nen, author.
verflie'ßen, o, o, to flow away, pass away.
verfol'gen, to follow, pursue.
verfüh'ren, to mislead, lead astray.
die Vergan'genheit, –en, past.
*vergebens, in vain.
vergeb'lich, futile, vain, fruitless.
*verge'hen, verging, vergangen, to pass away.
*verges'sen, a, e, to forget.
verglei'chen, i, i, to compare.
verhal'len, to die away (in echoes).
verhei'raten, to marry (off); sich —, get married.
verhel'fen, a, o, to help one to.
verherr'lichen, to glorify.
die Verherr'lichung, –en, glorification.
verhül'len, to veil, cover.
der Verkehr', –s, association.
verkeh'ren, to associate.
verklä'ren, to transfigure, glorify.
verklin'gen, a, u, to die away (of sound).
verkom'men, verkam, verkommen, to perish, go under.
verkrie'chen, o, o, to creep away.
verkün'den, to proclaim, announce.
*verlan'gen, to demand, request.
das Verlan'gen, –s, desire, longing, yearning.

*verlas'sen, ie, a, to forsake, leave.
verle'sen, a, e, to read.
*verlie'ren, o, o, to lose; sich —, to disappear.
*der Verlust', –es, –e, loss.
die Vermeh'rung, –en, increase.
vermö'gen, vermochte, vermocht, to have power, induce, be able, force.
*das Vermö'gen, –s, —, power, ability, fortune, property.
vernehm'lich, audible, distinct.
verö'den, to make desolate.
versam'meln, to collect, gather; sich —, assemble.
verschlie'ßen, o, o, to close up, lock up.
verschlin'gen, a, u, to intertwine.
verschol'len, not heard of, disappeared.
das Verschrei', –s, ill repute.
*verschwin'den, a, u, to disappear, vanish.
versen'gen, to scorch, singe.
versin'ken, a, u, to sink away, vanish.
verspä'ten, to delay.
*verspre'chen, a, o, to promise.
verstän'dig, intelligent, clever.
*verste'hen, verstand, verstanden, to understand.
verstei'nern, to petrify.
verstoh'len, furtive, stealthy, stolen.
die Versto'ßung, –en, casting off, repudiation.
verstrei'chen, i, i, to pass, go by, elapse.
verstum'men, to die away, become silent.
die Vertei'digung, –en, defense.
der Vertei'digungszu'stand, –es, ⸗e, condition *or* state of defense.

verteilt′, distributed.
vertie′fen, to deepen; sich —, become absorbed in.
vertieft′, absorbed, buried.
der Vertrag′, –es, ⸗e, treaty, agreement.
*vertrau′en, to trust, confide in; (*tr.*), intrust.
das Vertrau′en, –s, confidence.
der Vertre′ter, –s, —, representative.
verwaist′, orphaned.
verwal′ten, to administer, take charge of.
verwan′deln, to transform, change.
verwandt′, related.
*der Verwand′te, –n, –n, relative.
verwe′ben, o, o, to interweave.
verwe′hen, to blow away, scatter.
verwel′ken, to wither up.
verwen′den, verwandte, verwandt, to apply, use.
verzei′hen, ie, ie, (*dat. pers.*), to pardon, forgive.
verzwei′feln, to despair.
*der Vet′ter, –s, –n, cousin.
*viel, *comp.* mehr, *sup.* meist, much, many.
*vielleicht′, perhaps, possibly.
viel′mals, many times, often.
vier, four.
viert–, fourth.
*der Vo′gel, –s, ⸗e, bird.
die Voge′sen, (*pl.*), the Vosges mountains.
*das Volk, –es, ⸗er, people, nation.
der Völ′ker-Vulkan, –s, volcano of (the) nations.
*voll, full, wide open.
vollbrin′gen, vollbrachte, vollbracht, to fulfill, accomplish, succeed.

vollen′den, to complete, finish.
vol′lends, wholly.
vollzie′hen, vollzog, vollzogen, to perform, accomplish, carry out; sich —, take place.
*von, from, of, by, with.
*vor, before, for, from, on account of; — Zeiten, long ago.
*voraus′, before, in advance, beforehand.
voraus′=sehen, a, e, to foresee.
*vorbei′, by, past, over.
vorbei′=schreiten, schritt, geschritten, to go past.
der Vor′fall, –s, ⸗e, occurrence, incident, affair.
vor′geschritten, advanced.
das Vor′haben, –s, —, plan, intention.
*vor′=kommen, kam, gekommen, to appear, seem, happen, come forward.
vor′=legen, to lay before, present, submit.
vor′=lesen, a, e, to read aloud.
vorlieb′ (fürlieb), — nehmen, to be satisfied with, put up with.
vor′nehm, aristocratic.
vorn(en), in front, forward.
der Vor′schlag, –s, ⸗e, proposal, proposition, suggestion.
die Vor′silbe, –n, prefix.
die Vor′spiegelung, –en, false representation, illusion.
vor′=stecken, to put before, put on (in front).
die Vor′stellung, –en, performance, presentation.
vor′=tragen, u, a, to present, bring before.
vortreff′lich, excellent.

*vorü'ber, over, past.
vorü'ber=gehen, ging, gegangen, to go past, go by.
vorü'ber=ziehen, zog, gezogen, to pass by; (*tr.*), draw past.
das Vor'urteil, -s, -e, prejudice.
der Vulkan', -s, -e, volcano.

W

wach'sen (chs = ks), u, a, to grow.
die Waf'fe, -n, weapon.
wa'gen, to venture, dare.
der Wa'gen, -s, —, wagon, carriage.
der Wahn, -es, error, delusion.
das Wahn'gespinst', -es, -e, phantom, illusion.
wahn'sinnig, crazy, mad.
*wahr, true; nicht —, is it not true? isn't it?
*wäh'rend, during; (*conj.*), while.
*die Wahr'heit, -en, truth.
wahr'lich, in truth.
wahr=nehmen, nahm, genommen, to perceive, notice.
wal'len, to wave, surge.
wal'ten, to hold sway, rule.
wäl'zen, to roll, whirl.
*die Wand, ⸚e, wall partition.
der Wan'derstab, -es, ⸚e, staff, walking stick, cane.
die Wand'lung, -en, change, transubstantiation.
die Wan'ge, -n, cheek.
wan'ken, to waver, sway, stagger.
*warm, *comp.* ⸚er, *sup.* ⸚st, warm.
*war'ten, to wait.
*warum', why, for what reason.
was, what, that; (*indef. pron.*) = etwas; so was, *see* etwas.

was für, what, what kind of.
der Was'serspiegel, -s, —, water-mirror, surface (of the water).
*wech'seln, (chs = ks), to exchange, change.
*we'der ... noch, neither ... nor.
*der Weg, -es, -e, way, path, road.
das Weh, -s, pain, woe; weh tun, to hurt, pain.
we'hen, to blow; (*tr.*), waft.
*das Weib, -es, -er, woman, wife.
das Weib'lein, -s, —, woman, (*humorous diminutive*).
*weich, soft, mellow, flexible (voice).
*wei'chen, i, i, to depart; yield, give way.
wei'den, to pasture, feed, feast; (*intr.*), graze.
wei'hen, to consecrate, dedicate.
der Weih'rauchgeruch', -es, ⸚e, odor of incense.
*weil, because.
wei'len, to tarry, linger.
*wei'nen, to weep.
*die Wei'se, -n, manner, way, air, melody.
*weiß, white.
der Wei'ßenkunig, -s, (Wise King), a poem by Emperor Maximilian I.
*weit, broad, wide, far; — und breit, far and wide.
weitberühmt', far famed.
*wei'ter, farther, on, in addition.
wei'ter=arbeiten, to work on.
wei'ter=fragen, to ask further.
wei'ter=sagen, to continue, go on, speak further, add.
wei'ter=sprechen, a, o, to speak further, go on.

wei'ter=tragen, u, a, to bear farther.
weithin', far, far away, far distant.
*welcher, welche, welches, who, which, what, that.
*die Welt, –en, world.
die Welt'kugel, –n, world sphere, globe.
*wen'den, wandte or wendete, gewandt or gewendet, to turn, apply.
*wenig, little, few; ein —, a little.
*wenn, when, whenever, if; — auch, even if.
*wer, who, whoever, he who.
*wer'den, ward or wurde, geworden, to become, get, turn out, shall, will, should, would.
*wer'fen, a, o, to throw, cast.
*das Werk, –es, –e, work.
die Werk'statt, –stätte, workshop.
das We'sen, –s, —, nature.
wes'halb, why, for what reason.
*wi'der, against.
wid'men, to dedicate, devote.
der Wi'derstand, –es, resistance, opposition.
*wie, as, like; now, in what way.
*wie'der, back, again.
wie'der=geben, a, e, to give back, return.
*wiederho'len, to repeat.
die Wiederho'lung, –en, review.
wie'der=kehren, to return.
wie'der=kommen, kam, gekommen, to come back, come again.
wie'der=schallen, to resound, echo back.
der Wie'derschein, –s, –e, reflection.
wie'der=sehen, a, e, to see again.
wie'der=strahlen, to shine back, be reflected; (tr.), reflect.

*wild, wild.
*der Wille, –ns, –en, will, testament.
wil'len, um ... willen, for the sake of.
*der Wind, –es, –e, wind.
der Wind'stoß, –es, –e, gust of wind.
der Win'kel, –s, —, angle, corner.
win'kelig, angular.
*der Win'ter, –s, —, winter.
das Win'tergras, –es, –er, winter grass.
die Win'ternacht, –e, winter night.
der Wip'fel, –s, —, top, tip.
wir, we.
*wirk'lich, real, actual.
*die Wir'kung, –en, effect.
die Wir're, –n, confusion, disorder.
das Wirts'haus, –es, –er, inn, tavern.
das Wirts'hausschild, –es, –er, tavern sign.
wi'schen, to wipe.
*wis'sen, wußte, gewußt, to know, know of, know how.
*wo, where, wherever, when; — ... auch, wherever.
*die Wo'che, –n, week.
die Wo'ge, –n, wave.
wo'gen, to wave, surge.
*woher', whence, where (from).
*wohin', whither, where, in what direction, to what place.
*wohl, well, supposedly, I suppose, of course.
das Wohl'gefal'len, –s, delight, pleasure.
wohl'riechend, fragrant.
*woh'nen, to dwell, abide, be.
wöl'ben, to arch, vault.
die Wöl'bung, –en, arch, vaulting.

*die Wol′ke, −n, cloud.
*wol′len, to be willing, intend, wish, be determined, desire, be on the point of, will, shall, want.
die Won′ne, −n, bliss, rapture.
*das Wort, −es, −e *or* ⸗er, word, saying.
der Wort′führer, −s, —, speaker, spokesman.
wuch′tig, heavy, mighty.
*das Wun′der, −s, —, wonder, miracle.
*wun′derbar, wonderful.
das Wun′derwerk, −s, −e, wondrous work, miraculous work.
der Wunsch, −es, ⸗e, wish.
die Wür′de, −n, dignity, worth, nobility.
*wür′dig, worthy, suitable.
die Wur′zel, −n, root.
wur′zeln, to take root, be rooted.
die Wut, rage, fury.
wü′ten, to rage, be furious.

3

*die Zahl, −en, number, figure.
zan′ken, to quarrel, scold; sich —, quarrel.
zart, *comp.* ⸗er, *sup.* ⸗est, tender, delicate.
zärt′lich, tender, fond.
der Zau′ber, −s, —, charm, magic.
der Zau′berschlag, −es, ⸗e, magic touch.
das Zau′bertränkchen, −s, —, magic potion *or* draught.
der Zaun, −es, ⸗e, hedge, fence.
z. B. (zum Beispiel), for example.
die Ze′he, −n, toe.
zehn, ten.

zehn′mal, ten times.
zeh′ren, to gnaw (at), consume, prey on.
*zeich′nen, to draw.
*die Zeich′nung, −en, drawing, plan.
*zei′gen, to show; (*intr. with* auf *acc.*), point at.
*die Zei′le, −n, line.
*die Zeit, −en, time; vor Zeiten, long ago.
die Zeit′schrift, −en, periodical, magazine.
das Zeit′wort, −es, ⸗er, verb.
zermal′men, to crush.
zerrei′ßen, i, i, to tear in pieces, rend.
zerschla′gen, u, a, to beat to pieces, shatter.
zerstreu′en, scatter, disperse, divert.
zertrüm′mern, to shatter.
*zie′hen, zog, gezogen, to go, move, march, pass; (*tr.*), pull, draw.
das Ziel, −es, −e, goal, aim.
zie′len, to aim.
zier′lich, dainty, graceful.
*das Zim′mer, −s, —, room.
der Zins, −es, −en, tribute, rent, *pl.*, interest.
der Zip′fel, −s, —, tip.
zit′tern, to tremble, quiver.
*zu, too, towards, together, shut; (*prep., dat.; and sep. pref.*), to, towards, for, at.
die Zucht, breeding, discipline (obedience), training.
zu′cken, to move, stir, twitch, shrug.
*zuerst′, first.
zu′=flüstern, to whisper to.

die Zufrie'denheit, contentment.
zu'=führen, to conduct to, lead to.
*der Zug, –es, ⸚e, draft, procession, feature, move.
*zugleich', at the same time, at once.
*die Zu'kunft, future.
*zu'=machen, to close.
*zunächst', next, chiefly, in the first place, really.
*zurück', back.
zurück'=kehren, to return, come back.
zurück'=lassen, ie, a, to leave behind.
zurück'=weisen, ie, ie, to reject.
*zusam'men, together.
zusam'men=fahren, u, a, to shrink together, start (with fear).
zusam'men=halten, ie, a, to hold together.
der Zusam'menhang, –es, ⸚e, connection, relation.
zusam'men=nehmen, nahm, genommen, to collect, put together; sich —, control oneself.
zusam'men=rufen, ie, u, to call together.
zusam'men=schießen, o, o, to shoot to pieces, batter down.

zusam'men=schlagen, u, a, to strike together.
zusam'men=schmieden, to forge or weld together.
zusam'men=setzen, to put together, combine; sich —, sit down together.
zu'=schauen, to look, look towards, look on.
zu'=sehen, a, e, to look on.
zustan'de, see Stand.
zu'=strömen, to stream towards, come to.
zu'=trauen, to attribute to, expect of.
zu'versichtlich, confident.
zuviel' = zu viel.
zuvor'derst, in the first place, first.
zu'=wogen, to surge towards or in the direction of.
zwan'zigjährig, twenty years old.
*zwar, indeed, in fact, moreover, and that too.
zwei, two.
*der Zweig, –es, –e, twig, branch.
zweit–, second.
zwei'tenmal, (zum zweiten Mal), for the second time.
*zwi'schen, between.
zwölf, twelve.